Un territoire fragile

DU MÊME AUTEUR

Rochelle, *roman*, Fayard, 1991
Les éphémères, *roman*, Stock, 1994, Pocket n° 4421
Cœur d'Afrique, *roman*, Stock, 1997
Nordeste, *roman*, Stock, 1999

Éric Fottorino

Un territoire fragile

Roman

Stock

1

Je n'ai pas hésité un instant lorsque j'ai lu l'annonce dans le *Journal des hémisphères* : « Institut océanographique de Norvège recherche biologiste débutante d'expression française. » J'ai envoyé aussitôt ma candidature et, sans attendre la réponse, j'ai pris un vol pour Bergen. Le lendemain, je m'éveillai dans un brouillard gris bleu que transperçait le cri des mouettes. Le grondement d'une corne de brume répandait à l'infini sa musique désolée de violoncelle.

Le directeur de l'Institut m'accueillit avec une grande courtoisie et un français très convenable. Il n'avait pas reçu mon courrier, évidemment, mais devant ma douce insistance, et puisque, enfin, j'étais là, avec ma valise en cuir souple, mon pull de grosse laine, mon cache-col et mes bottines, il accepta de me prendre à l'essai. Pour la première fois de ma vie quelque chose avait été facile et simple, obtenu sans éclat.

Comme je quittais le bureau du directeur, une chaleur soudaine irradia mon visage et mes reins, puis chacun de mes membres, jusqu'à la plante des pieds. J'entrepris de marcher le long des quais où dormaient à l'ancre les brise-glace affrétés pour l'hiver et l'Express-côtier en route vers le cap Nord. Je marchais d'un pas léger, toute à la joie d'être loin du Maroc. Mais cette chaleur étrange persistait, accompagnée de fourmillements, comme si l'air que je respirais s'était chargé d'aiguilles. Dans le miroir d'un shipchandler, j'aperçus des plaques rouges à mon front. Raclant la neige sur la carène d'un yacht, je découvris au revers de mes mains les mêmes taches sombres. Le contact avec la poudreuse accentua la sensation de brûlure. À l'hôtel, je me dévêtis à la hâte. Ma peau ressemblait à ces cartes d'empires où figurent en bistre les possessions héritées de l'histoire, des batailles et des grands partages. Les paupières, la racine du cou, le creux des épaules, le ventre, les seins, les plis de l'aine, l'intérieur des cuisses et même le pubis, rien n'avait échappé à cette flambée cutanée. Jamais je ne m'étais sentie aussi tranquille. L'eczéma venait de bombarder mon corps.

À l'Institut, on se montra plein de sollicitude. Une jeune Britannique m'indiqua l'adresse d'un médecin dans le quartier du funiculaire, sur la colline de Floyen. Elle m'avoua que, à son arrivée en Norvège, elle aussi avait fait une réaction brutale au froid. Commencèrent plusieurs semaines de traitements à base de cuivre, d'huile camphrée, de crème à la cortisone ou, j'en ai encore la nausée, de goudron. Quand je repère les camions immobilisés sur la chaussée vomissant leur contenu d'asphalte, je ne peux m'empêcher de rebrousser chemin. Si je n'ai pas le choix, je retiens ma respiration.

Par chance, les rougeurs les plus voyantes s'atténuèrent assez vite. Mais le soir, à l'instant de me déshabiller, je me retrouvais face à mon anatomie en feu. La crème au goudron m'était devenue irrespirable et les bains d'algues dans lesquels je m'obstinais à plonger me rapprochaient de la condition des morues déchargées à l'aube sur le port de Bergen.

Il y eut un répit. L'hiver approchait. Les crises revenaient lorsque je sortais de l'Institut pour me jeter dans la foule du soir qui allait et venait sur les trottoirs luisants, s'arrêtant par grappes devant les vitrines surchargées de guirlandes, de maisons en pain d'épices, de bougies boursouflées et de ces petits bonshommes hideux au long nez appelés trolls. L'excitation de la rue me transportait. Les lampadaires crépitaient en lançant des étincelles comme les câbles suspendus au passage des tramways. J'aurais pu marcher des heures entières sans fatigue au milieu de ces gens indifférents à ma présence. Les autos défilaient au ralenti, expédiant leur lumière pâle sur les manteaux de zibeline des passantes. Une petite pluie de neige hachurait la nuit de pointillés liquides, je goûtais un sentiment inconnu de liberté.

J'ignorais tout des villes hanséatiques, elles étaient pour moi aussi étrangères que les contes des frères Grimm ou les lieder de Grieg que j'ai appris à aimer. J'imaginais qu'en me réfugiant dans le blanc des cartes, et pour moi, Bergen, c'était tout blanc, comme on aurait dit Oslo ou Reykjavik, j'imaginais que si haut, si près du pôle, dans un pays bordé par la mer au cas où une fois encore j'aurais dû fuir, je serais délivrée pour toujours de l'Afrique du Nord, du regard de ses hommes. À Bergen comme au Maroc, le soleil courtisait la mer. Mais ce n'était pas le même soleil et ce n'était pas la même mer. Ils donnaient ici des êtres blonds à la peau claire, des filles qui, en dépit du climat, n'avaient pas froid aux yeux. Le soleil était inoffensif, il n'échauffait pas plus le cœur et le sang que la flamme des cierges dans les églises en bois debout du pays des fjords. À Bergen, on n'égorgeait pas les moutons dans les rues, une femme pouvait sans danger, sauf celui d'attraper une pneumonie, exhiber son visage, la chair de ses bras, une femme pouvait soutenir un regard, lâcher ses cheveux, entrouvrir ses lèvres.

Je savais que je ne comprendrais jamais le norvégien avec ses « o » percés comme la pomme de Guillaume Tell, et cela me rassurait de ne rien comprendre. Je ne suis pas sûre, au milieu des passants de Bergen à la nuit tombée – mais il arrivait que la nuit ne se donnât pas la peine de tomber puisque le jour oubliait de se lever –, je ne suis pas sûre que quelqu'un pourrait jurer m'avoir vue. Je me fondais avec ravissement dans cet univers immaculé qu'égayaient les vieilles bâtisses aux couleurs vives et à pignons pointus des marchands de la Hanse. Bergen ressemblait à une ville dessinée par Hergé, tout y paraissait propre et géométrique. On aurait cru l'air immobile si ne s'étaient insinuées les odeurs mêlées de naphte et de poisson séché que le noroît maraudait au large. Lorsque je frôlais du regard les navires à quai, je me disais qu'au pire je réussirais à monter à bord par une échelle de coupée. Au loin, la mer jouait avec le feu des plate-formes pétrolières. Je me souviens qu'il y a longtemps, mais je ne peux rien dater, de passage à Paris, je m'étais rendue à la librairie Ulysse, rue Saint-Louis-en-l'Île. Des fous d'aventure s'y retrouvaient un certain jour du mois pour ébaucher de merveilleux voyages en cargo vers la Patagonie ou le golfe de Siam. Je dis merveilleux car c'est toujours merveilleux de partir. C'est un rêve de vivant. Je n'avais pas eu le cran de larguer les amarres. J'avais regagné mon hôtel de la rue Victor-Cousin car je croyais appartenir à un homme.

2

La plaque de cuivre vissée à la porte de mon cabinet prête souvent à confusion. Je le savais en demandant au graveur d'inscrire ce simple mot : accordeur. En réalité, j'accorde d'étranges instruments, mais faut-il parler d'instruments quand il s'agit du corps humain ? Plusieurs fois par jour, on me sollicite pour un violon mal en point, les cordes détraquées par le froid. Dans la patrie de Grieg où tout un chacun a essayé au moins une fois d'interpréter sa fameuse suite de *Peer Gynt*, le plus humble foyer abrite un violon et son archet. Lorsque l'apprenti musicien de la famille mesure la difficulté à devenir Edvard Grieg et met sur le compte du mercure son impossibilité à remuer les doigts aussi vite que l'exige la partition, comme si Grieg avait mis des gants pour réussir, l'instrument est rangé avec une vénération perplexe. Mais quelque temps s'écoule et il se trouve toujours un audacieux ou un inconscient pout tenter sa chance, ce qui explique le surmenage des accordeurs à Bergen, les écarts de température ayant raison des réglages au millimètre du crin de cheval. Aux visiteurs heureux de me découvrir les mains libres dans mon cabinet, qui vérifient sans m'écouter l'absence miraculeuse de file d'attente et de violons en souffrance, je propose, une fois leur déception passée, trois adresses d'authentiques accordeurs. Cette entraide est bien naturelle. Il arrive qu'un de ces maîtres m'envoie un teneur de violon malhabile dont le mouvement imparfait du bras éreinte les cordages. Là, c'est à moi de jouer. Je suis un accordeur de corps. J'accorde les muscles et les vertèbres comme un guérisseur de piano rend leur souplesse aux cordes martelées de la table d'harmonie. C'est toute ma vie, accorder. Au fond, je ne connais pas d'œuvre plus humaine.

L'automne dernier, mon ami Vuk Langstrom, qui dirige l'Institut océanographique de Bergen, m'a envoyé une jeune Française de vingt-trois ans. Elle était en Norvège depuis peu et il pensait que je pourrais l'aider. Elle souffrait d'eczéma. Ce n'était pas mon registre, mais j'acceptai de la recevoir par amitié pour Vuk et aussi parce qu'elle était française. Voilà comment j'ai connu Clara Werner.

Cela prend du temps d'accorder le corps d'une femme qui ne s'aime pas. Surtout si on ne veut pas l'aimer comme une femme, mais l'accorder comme un instrument. J'ai lu dans la revue de la Statoil qu'on vient à bout des puits de pétrole en flammes en les bourrant d'explosifs. Le feu guérit le feu grâce au souffle de la déflagration. Moi, je ne me sens pas le droit de guérir l'amour par l'amour, ni le droit ni la force. D'abord la force. C'est aussi une affaire de souffle. Je crains d'en manquer. Qui peut dire qu'il possède assez d'amour pour un autre que lui-même, fût-il beau, nu et offert ?

Je me souviens du corps noué de Clara Werner, au début, chaque fibre tendue à rompre. Je lui ai dit : vous devriez essayer la nage. Elle a suivi mon conseil. La nage sur le dos, avec des mouvements très lents des bras, les mains tendues vers le ciel, surtout pas les poings serrés, les mains ouvertes, les doigts déliés, en veillant aux battements réguliers des pieds, pour ne pas boire la tasse ou, pire, couler comme une pierre. Elle a même nagé dans les piscines remplies d'eau de mer, le sel porte mieux les candidats au naufrage. Deux ans de ma vie, jour après jour, j'ai remodelé ce corps en rébellion. Mes mains ont repris chaque ligne, les sillons profonds, la courbe des épaules, de la nuque, l'aplat de son dos et jusqu'à l'arc de ses lèvres, de ses sourcils, la mâture de ses jambes, ses chevilles interminables, la déclive de ses pieds. J'ai pris sa tête entre mes mains comme je l'aurais fait d'un enfant, presque surpris de ne pas rencontrer les îles flottantes du commencement, les merveilleuses fontanelles où palpite l'aube de la vie. J'ai effleuré avec la pulpe de mes doigts les raccords imparfaits de blessures anciennes et vérifié l'enseignement de mon père : les rides du front reproduisent les lignes de l'abdomen, c'est la preuve digitale que le ventre a une âme. Mais je vais trop vite. Au début, je ne pouvais pas la toucher, à peine l'effleurer. Sa peau était minée. Je la frôlais comme on frôle une catastrophe.

Petite leçon sur les muscles. Elle m'a écouté en silence. Plus de cinq cents muscles dans un corps humain, des lisses, des striés, des « en éventail ». C'est facile : les striés obéissent à la volonté, le biceps, le couturier, les jumeaux des chevilles, à la volonté de marcher, de courir, de s'enfuir. Le cœur aussi est un muscle strié. J'en déduis qu'on peut décider la seconde de sa mort. Une vie bien remplie représente cinq milliards de battements. Quand j'ai connu Clara Werner, il était temps de remonter le mécanisme.

3

Quelques jours avant Noël, le directeur de l'Institut m'a appelée dans son bureau. Il tenait à me dire de vive voix que mon travail donnait pleine satisfaction et qu'il songeait à me confier de nouvelles tâches plus importantes sur le phénomène des marées. « Avec la fonte des neiges, on ne sait jamais où se trouve précisément le niveau zéro de l'océan », essaya-t-il de m'expliquer, mais je n'écoutais pas, trop heureuse que quelqu'un, même avec un léger accent étranger, fût content de moi. Le directeur m'apprit que l'Institut recevrait bientôt le marégraphe centenaire de la ville de Marseille qui avait fait son temps en France. Un appareil acoustique ultra-sophistiqué l'avait remplacé. « C'est une aubaine pour nous car, voyez-vous, ses cylindres de cuivre... » Il s'interrompit brutalement et me demanda si je me sentais bien. Je hochai la tête mais une vive brûlure avait attaqué mon visage et mes mains, il me semblait que mon corps entier venait de s'enflammer. Le directeur s'était levé. « Vous devriez consulter un de mes amis, fit-il à voix basse. Je vais vous indiquer son adresse. »

Le soir même, j'étais dans la salle d'attente de l'accordeur.

Je ne vis d'abord que ses mains, des mains fermes, amples, très ouvertes entre le pouce et l'index, d'une grande finesse et pourtant puissantes, j'aurais dû dire perçantes, tant ses doigts longs et délicats semblaient capables de voir. Plus tard seulement, je pris conscience du visage de l'accordeur, jeune encore malgré sa couronne de cheveux blancs, un regard au cordeau ajusté sur une image idéale du corps humain qu'il donnait l'impression de rechercher sans cesse en ouvrant ses yeux immenses et gris où brillait un air de légère déconvenue. Sa salle de soins était un espace à peu près vide composé de grilles murales où pendaient dans une disposition incertaine poulies et cordelettes. Debout se tenait l'écorché d'un homme en cire d'abeille, les muscles saillants et colorés comme des berlingots de fête foraine, vision dure, ou des pelotes de laine, vision douce. Par terre étaient alignés de petits sacs en peau de renne d'une inégale grosseur et remplis de sable. Je vis aussi quelques haltères minuscules dont le poids maximum, c'était inscrit, ne dépassait pas les deux kilos. Des rondelles de fonte empilées à côté servaient de lest. Il y avait aussi des balles de tennis. J'ignorais encore combien elles pouvaient soulager un cou verrouillé. Il me fallut plusieurs séances pour remarquer le *medecine-ball* sur lequel s'asseyait l'accordeur lorsqu'il me faisait allonger au sol sur un fin tapis de mousse, pour effleurer mon dos avec sa paume tiédie à l'huile de massage. Un parfum d'amande et de camphre montait dans la pièce. Deux lampes d'angle diffusaient une lumière tendre. Une minichaîne stéréo était installée sur un meuble de pin, mais, lors de ma première visite, elle resta silencieuse.

L'accordeur me fit déshabiller. Je m'exécutai avec appréhension. À l'Institut déjà, lorsque le directeur m'avait gentiment attrapé le bras, je m'étais dégagée d'un geste trop brusque. Il n'avait rien dit, mais je crois qu'il avait lu la panique dans mon regard. Devant ma gêne, l'accordeur me suggéra de garder mon soutien-gorge et aussi ma culotte, puis il me demanda de marcher lentement. Je sentis son regard sur moi. J'étais comme une torche. Je pensais : il ne doit voir que moi, mais que voit-il exactement ?

« Rhabillez-vous, mademoiselle, fit-il au bout de quelques minutes, dans un français impeccable.

– C'est fini ?

– Pour ce soir, oui. Dites-moi seulement comment viennent vos crises d'eczéma. »

Je m'assis sur un tabouret face à lui. Le temps me parut très long pendant que je rajustai mes vêtements.

« D'abord, ça me chauffe un peu partout. C'est très agréable, une sensation de bien-être qui monte. Puis cela brûle. À vrai dire, c'est encore agréable. Mon corps se met vraiment à exister. Mais soudain des plaques apparaissent, j'enfle et rougis de plus belle. Je n'ai plus qu'une idée en tête : rentrer dans mon trou. »

Il m'écoutait attentivement, les yeux à distance, un regard médical posé sur moi.

« Cette montée de chaleur, demanda-t-il après un moment de silence, elle vous fait penser à quoi ? »

Le trouble me gagna. Il voulut savoir à quelle occasion s'était produite la dernière poussée. Je réfléchis et lui racontai l'entretien avec le directeur de l'Institut, ses compliments sur mon travail.

Il reposa sa question.

« Cette montée, elle vous fait penser à quoi ? »

J'hésitai.

« Au plaisir ? » finis-je par articuler.

Il remua la tête et, pour la première fois,

je vis son sourire, un magnifique sourire de contentement. Je repensai à ce que m'avait dit le directeur de l'Institut quand je dévalai les escaliers, le matin même : vous verrez, c'est un homme prodigieux, plus fort que l'était son père. Il tient la souffrance en respect au bout d'un sourire.

L'accordeur m'observait. Je ne lui aurais pas donné d'âge précis, comme à tous ces hommes qui avancent dans la vie en restant avant tout des fils.

« Vous vous empêchez de vous faire plaisir, mademoiselle. Vous punissez votre corps du bien-être qu'il éprouve. »

J'étais abasourdie. Je n'avais pas encore enfilé mes bas. Il me demanda si je voulais bien me déshabiller de nouveau. Et enlever mon soutien-gorge, cette fois, ma culotte aussi. J'acceptai. Il me fit marcher de long en large.

J'entendis cette phrase :

« Votre mère ne vous a pas donné grand-chose (il prononça : grande-chose), à part la vie. »

De retour chez moi, la peau de mon visage se mit à peler comme après un coup de soleil. Je passai la soirée entière à la détacher par lambeaux. Dessous apparut un visage neuf, lisse. Mon visage. Je décidai que, dès le lendemain je retournerais chez l'accordeur. À cause de la phrase sur ma mère.

4

Je l'ai dit, je ne peux rien dater. Il faudrait commencer à Dublin. L'hiver à Dublin. Impossible de dire quand. Dans ma vie, il y a avant Dublin, et après. Il faut connaître les maisons bourgeoises de Dublin pour savoir qu'au rez-de-chaussée vit souvent une petite vieille dame au col de dentelle et veuve à crever qui propose un verre de sherry à ses locataires du dessus. Et comme les locataires sont de préférence de jeunes étrangers venus perfectionner leur anglais, le téléphone est installé dans le couloir pour ne pas avoir à multiplier les combinés. Cet hiver-là, à Dublin, j'étais enfermée à double tour et impossible de téléphoner car, justement, l'appareil était de l'autre côté du mur. Ma dernière sortie dans le quartier, je m'en souviens bien. J'étais allée à la bibliothèque emprunter un livre en français, *Les Roses fanées*, d'Elsa Triolet. J'avais dit à Anas (ça y est, j'ai prononcé son prénom) : je l'ai lu en France, c'était très beau. Je voudrais le relire. J'étais revenue avec l'unique exemplaire de la bibliothèque. Il m'attendait assis sur une chaise au milieu du salon. Par terre, c'était magnifique. Il avait brisé tous mes bibelots, mon verre de Sienne au pied bleuté, mon petit cendrier des wagons-lits, mes figurines de porcelaine. Il avait déchiré mes livres en mille morceaux, page après page, et tout cela gisait au sol comme des brassées de fleurs coupées, les éclats de verre, les confettis de couvertures blanches, rouges, ocre, le papier cristal qui recouvrait les ouvrages auxquels je tenais le plus. Il m'arracha *Les Roses fanées* qui finirent au beau milieu du massacre où mon œil ne pouvait plus reconstituer un seul titre en entier. Il parut soudain tellement triste, mais c'était trop tard, et quelle idée aussi d'envoyer à Dublin un jeune homme du Maroc marié à une Française. Comme c'était beau, ce désastre à mes pieds. Anas pleurait de honte, mais il fallait comprendre : il avait eu si peur de me perdre. Maintenant que j'étais revenue, j'allais payer.

« Votre mère ne vous a pas donné grand-chose, à part la vie. »

Je pense à un bouquet de fleurs des champs. Le souvenir de Dublin, sûrement. J'ai déposé trois coquelicots, des pâquerettes, des boutons d'or sur l'évier de la cuisine. Ne pas gêner maman les mains dans la vaisselle. Elle n'a pas dû voir. Trois jours sans eau, si près de l'évier. Elles ont fini par dépérir, elles ont fini à la poubelle, les fleurs pour maman. D'ailleurs, je ne dis pas maman quand je pense à elle. Je dis : la mère.

Pourquoi faut-il que je voie des ballons, à présent ? Pas des ballons de football. Ces ballons de baudruche qu'on gonfle avec les joues, les oreilles bourdonnantes. Une petite fille reçoit sur le visage l'air tiède de son ballon qui se dégonfle entre ses doigts, et elle rit, c'est le souffle de sa maman. Jamais de ma vie je n'ai senti sur moi la respiration maternelle, pas même en laissant mourir lentement un ballon de baudruche.

Comme j'ai eu froid, nue dans cet appartement de Dublin en hiver. Anas ouvrait grand les fenêtres et répétait : « Allons au bout de cette affaire. » Il allumait une cigarette, aspirait profondément, me soufflait la fumée au visage. Il tournait l'interrupteur. Je ne voyais plus que le rouge de la cendre qui tournoyait dans la nuit. Je me disais : arabesques. Je grelottais, j'attendais de mourir, qu'il achève le travail commencé par la mère. « Allons au bout de cette affaire. » Je haussais les épaules en soupirant, tu sais bien, Anas, tu m'as eue à quinze ans, tu étais le premier. Il se détournait avec mépris. Pourtant, bien avant Dublin, dans la médina de Fès, sans un regard pour les mottes de henné, traversant les foulards, ignorant les ciseleurs de cuivre, les bonimenteurs, tout au fond de la médina où règnent les couturières d'hymens et les avorteuses, en ce temps-là il me touchait. J'avais quatorze, quinze ans, je ne peux rien dater, la mère, tu entends, ta fille avait quatorze, quinze ans lorsqu'elle courait dans la médina de Fès au-devant d'une aiguille à crever les baudruches, à couper le souffle. Une fille formée, comme on le dit de l'océan avant la tempête.

Il m'arrive encore de longer les mêmes artères, j'entends le marteau des artisans du cuivre, le claquement des pions sur les damiers de bois, le grésil étouffé des narguilés, les foules hurlantes.

5

L'index de l'accordeur descend le long de ma colonne. Puis dévie. Et appuie fort, très fort.

Il me dit : « La force, c'est l'équilibre entre le plaisir et la douleur. Vous avez mal ? »

Je fais oui de la tête, et non.

Il me dit : « Je vais retrouver votre première peau.

– Celle d'avant Dublin ?

– Celle d'après votre mère. »

Maintenant, il a laissé glisser son doigt sur mon front, mon nez. Il est descendu le long du cou, s'est arrêté à la naissance de la gorge. « Ici ».

Comment sait-il ?

Dublin, je suis nue et gelée. Cette fois je vais mourir. Je me fiche bien de mourir. Qu'il en finisse. Je sens la pointe du coupe-papier dans ma peau, exactement à la saignée du cou, là où l'accordeur a placé son doigt. Le coupe-papier de ma grand-mère au manche argenté. La pression augmente mais le sang se retient de perler. Pour la première fois depuis tout ce temps à Dublin, j'attends avec soulagement une délivrance. Bien sûr, elle ne viendra pas. Anas a retiré la pointe, l'a plantée de rage dans le cadre de la fenêtre. L'accordeur a laissé son doigt dans mon cou.

« La peau se souvient. Nous sommes des êtres de tissu, c'est pourquoi les muscles se froissent et parfois se déchirent. »

J'ai la peau qui marque facilement. Il suffit de l'effleurer. Une tache sombre apparaît, s'étend comme l'encre sur un buvard. La mémoire des tissus, d'après l'accordeur. Même la douleur se réveille, son souvenir. À Dublin, Anas jouait aux douze coups de minuit. Il avait lu les contes cruels des enfants d'Europe. À minuit le carrosse redevenait citrouille. Il attrapait un nerf de bœuf, « ma baguette magique », s'avançait dans l'obscurité, ouvrait encore plus grand les fenêtres, les Irlandais n'entendaient jamais les femmes crier, et notre voisin, un vieux célibataire figé dans un sourire d'enfant hors d'âge, aimait trop le malt pour s'émouvoir d'un remue-ménage. Au début, Anas utilisait sa baguette. Puis il y renonça. Pour cogner, il préférait le contact de sa main sur ma peau. Il frappait douze coups. Un, deux, trois, quatre..., s'éloignait sans un mot, grillait une cigarette. En ce temps-là, à Dublin, je passais ma vie à mourir. J'étais brisée de l'intérieur, les os pareils à des sabliers.

Pourtant, il m'avait épousée le jour de mes vingt ans, le contrat de mariage établi à Kenitra me plaçait à la tête d'un domaine somptueux, vignes, orangeraies, champs de blé, têtes de bétail innombrables et bijoux « d'une valeur inestimable », c'était la formule, dont je ne vis jamais l'éclat, et tant mieux, j'ai appris à craindre ce qui a de l'éclat, les coups ont de l'éclat. Je me disais : je ne traverserai plus jamais la médina de Fès à la recherche d'une avorteuse, plus jamais le fin fond de la médina ou trois morceaux de ma chair avaient crevé comme des bulles de savon au bout d'une pique à méchoui, je m'étais réveillée chaque fois avec la vision d'un oiseau blanc. Plus tard, à Dublin, Anas insistait : allons au bout de cette affaire. J'avais fait traduire le contrat par le consulat de France à Kenitra, pour que la mère sache bien : j'étais mariée à un Arabe. Une traduction minutieuse qui reprenait fidèlement les attendus et les caractères typographiques. C'est ainsi que, plus gros que mon nom, plus gros que la mention des orangeraies et des bijoux d'une valeur inestimable, figurait mon état devant la loi et les adouls, les vieux sages comptables de notre engagement. En gros, en gras, en plus que capitales, ces lettres majuscules traduites dans ma langue si peu maternelle : VIERGE.

« Vous avez la peau qui marque facilement », m'a dit l'accordeur.

J'ai fait oui de la tête. La trace de son doigt sur le haut de ma cuisse s'élargit à vue d'œil. Il a attrapé un petit marteau à réflexes, l'embout de caoutchouc heurte mon genou. Rien n'a bougé, mais un cercle mauve s'est formé. Je me souviens maintenant. Mon corps s'est arrêté à minuit heure de Dublin et la vie ne tient plus sur mes jambes.

6

Mon plaisir du samedi matin, c'est de prendre un taxi pour l'aéroport de Bergen et d'aller voir les avions décoller. Je m'installe dans le grand salon panoramique avec un verre d'aquavit, un petit verre, rassurez-vous, mais il faut dire que je tiens très bien l'alcool. Je suis une fille des montagnes, de Villars-de-Lans exactement, ville olympique comme Lillehammer en Norvège. Enfant, je skiais des journées entières, c'était toujours ça de passé loin de la mère, et le soir, à la station, on nous servait du vin chaud. Ici aussi ils préparent du vin chaud parfumé au cumin, j'en bois parfois, mais le samedi matin, devant les avions qui s'élancent, je préfère l'aquavit. Dans ma tête, quelque chose dit vite, vite. Il ne faut pas m'en vouloir si je déraille un peu. Tout cela est parfaitement contrôlé. Vite, vite, de l'aquavit, je tiens très bien l'alcool, vous savez. Malgré les apparences, je suis quelqu'un de très fort. Oui, je suis très forte. C'est toujours le même chauffeur de taxi qui m'emmène à l'aéroport. Et s'il est libre en fin d'après-midi – il m'arrive de rester des heures à suivre le compte-goutte des avions –, il me ramène chez moi. Il s'appelle Olav, « comme le roi », dit-il fièrement. Au début, ça lui paraissait bizarre que je parte sans bagages. Puis il a compris que c'étaient de simples visites à l'aéroport. Maintenant, je suis sûre qu'il serait étonné de me voir monter avec une valise, et triste, qui sait ? Il parle un bon anglais, Olav. Il me raconte sa famille, sa femme qui travaille dans une sècherie de morues des Lofoten, plus haut vers le pôle. Il a quatre enfants, deux garçons, deux filles. Leurs figures tapissent le tableau de bord à côté de madame et d'un médaillon de saint Christophe. Il m'a promis qu'un samedi il viendrait avec les quatre et que la course serait gratuite, les petits n'ont jamais vu les avions de la Scandinavian autrement qu'en minuscules poinçons argentés, les jours de ciel clair. C'est Olav qui m'a renseignée sur la condition des enfants en Norvège. Une loi interdit de les fesser ou de les gifler. Les étrangers pris dans la rue à réprimander leur progéniture sont rabroués par les passants. Insouciance et liberté. Je me sens bien dans ce pays où on ne lève pas la main sur les enfants, où on peut avouer sans passer pour une

31

ivrogne qu'on aime l'aquavit, surtout celui vieilli à l'intérieur d'anciens tonneaux de xérès et parfumé à l'écorce d'orange.

Au salon panoramique, les garçons ont fini par me connaître. À peine assise, j'ai déjà mon verre devant moi et une soucoupe remplie de mûres de l'Arctique, mon péché, des baies jaune pâle ramassées à la lueur étincelante des aurores boréales. On m'a toujours dit qu'il fallait manger quand je buvais seule ; voyez, je me garde bien des excès, même s'il m'arrive, les jours de vif enthousiasme au spectacle des gros oiseaux de fer s'arrachant du sol, de fêter l'événement en vidant quelques verres, de petits verres, je répète, cul sec, sans une mûre à me mettre sous la dent. Je laisse une bonne pièce aux garçons, surtout aux serveuses. Moi aussi j'ai été serveuse, à Dublin. Trois jours dans un salon de thé. Anas est venu me chercher un soir par la peau du cou. J'y pense, j'ai toujours cette douleur à l'endroit où il me serra si fort, essayez, c'est douloureux de s'attraper la peau du cou et de la pincer entre ses doigts, il doit y avoir un paquet de nerfs, là-dessous. Enfin, Anas est venu me chercher en m'insultant, il disait que j'allumais les clients, comme si c'était mon genre. J'ai peut-être changé, depuis. Un soir, j'ai voulu coucher avec le chanteur d'un groupe qui était venu jouer dans un bar à Paris. On est partis après le concert et on a baisé dans ma chambre, juste une fois, je l'avais prévenu. Le lendemain matin, j'ai vomi. Je n'ai plus recommencé.

Anas m'avait donc ramenée à la maison par la peau du cou, j'en aurais pleuré tellement il me faisait mal, mais surtout pas une larme, il aurait serré plus fort. Ce soir-là, il n'avait pas de quoi faire le fier-à-bras. J'avais vu qu'il avait un cocard. Il s'était battu dans le restaurant où il était plongeur. Avec un Algérien qui avait critiqué son travail. Au Maroc, Anas aurait traité ce gars-là comme un chaouch, il n'aurait pas perdu une seconde à l'écouter. Mais à Dublin, le fils de famille devait trimer. Ça se payait cher, d'avoir épousé une francaoui. Sa mère l'aurait bien gardé à Fès, mais le père avait prévenu : Anas devrait s'en sortir seul. Ce fut ma dernière sortie à Dublin. Après il m'a verrouillée. Double tour, téléphone dans le couloir, pas un verre de sherry avec la vieille, dans ses fauteuils cabriolets à dossier médaillon, je finissais par en rêver. Si, j'ai pu m'échapper pour aller chercher ce livre en français, *Les Roses fanées*, quel saccage ! Je m'en souviens tout à coup, je possédais aussi un volume de poésies d'Ibsen. Il faudrait que je le retrouve, maintenant que je suis un peu norvégienne.

Après Dublin, pendant un bref séjour à Aix-en-Provence, j'ai volé des bouquins. Je n'avais plus un centime. Et ces livres, mes Bove, mes Richaud, qui me les aurait rendus ? Mes seules sorties dans le quartier où nous habitions à Dublin, c'était pour aller à la banque toucher les mandats de mon père. La famille d'Anas, les riches fassi amis du roi, sa mère en majesté qui claquait deux doigts pour qu'accoure une nuée de servantes portant plateaux d'argent encombrés de verres de lait et de cornes de gazelle sublimes, sa mère qui me susurrait « il t'adore » quand je venais dans sa chambre comme à confesse, les lèvres éclatées par les torgnoles de son fils (à Fès, avant Dublin), ces gens parfaits laissaient leur fils me maquereauter. Nous avions bien des amies du pays perdu, les filles d'un couple mixte, comme on disait alors, lui marocain, elle française, Tamia et Soumy, charmantes, jolies, cultivées, hymens refaits en vue d'un bon mariage, elles nous invitaient, au début. Mais après l'épisode du salon de thé, Anas refusait que je les revoie. Il leur interdisait même de venir à la maison. C'est en allant à la banque sous bonne escorte qu'un matin je les rencontrai. Je lus aussitôt dans leurs regards que j'avais changé. Je flottais dans mes pantalons, des vaisseaux avaient éclaté sur mes avant-bras. Je crois qu'une de mes oreilles était noire, Anas avait le secret des beignes par-derrière qui font vibrer les tympans comme des bourdons de cathédrale.

Quinze jours plus tard, mon père tombé du ciel avait sonné à la porte. D'où mon bonheur quand un avion s'avance lentement sur la piste d'envol. Je retiens mon souffle pendant les essais à plein gaz. L'appareil s'immobilise puis, soudain, c'est la poussée brutale, il me suffit de fermer les yeux pour la sentir dans mon dos. Je revis chaque seconde de mon enlèvement à Dublin par le seul homme qui m'ait jamais aimée sans réussir à me comprendre.

7

Aujourd'hui Clara est arrivée en retard à sa séance. Je lui ai fait remarquer que je l'avais attendue. Elle est entrée comme à reculons dans la salle de soins. Je l'ai bien regardée. Même quand elle avance on dirait qu'elle s'éloigne. Elle marche sur la pointe des pieds, ses talons touchent à peine le sol. Je lui ai demandé de se déchausser. Ses tendons d'Achille sont légèrement atrophiés, assez pour donner cette impression qu'elle n'est pas une personne terrestre. Elle s'est assise sur un tabouret face à moi et observe mes mains avec défiance. Impossible de la toucher ce soir. Inutile d'essayer. Je cherche ce qu'aurait fait mon père face à elle. Ce n'est pas facile car mon père était aveugle. Et moi, je vois Clara, le visage apeuré de Clara, sa raideur exagérée, craignant à chaque instant la trahison de son corps, son maintien droit comme on dirait qu'un mur est droit. C'est ça, je pense à une muraille en soutenant son regard. Mon père n'aurait pas eu à affronter ces yeux-là. Ils guettent mes moindres gestes, leur dureté de métal adoucie par un drôle de sourire muet semblable à celui des statues d'Angkor.

Mon père m'a tout appris des secrets du Meccano humain, creux poplités, reliefs en plein, muscles à renforcer, muscles à étirer, à tendre, à fléchir, univers viscéral, lignes méridiennes, astragale et malléoles, région sacrée, tendons, ligaments, tapis volant du souffle, plexus et cicatrices, points d'angoisse, épigastre, péritoine. Quand j'ai eu vingt ans, il a attrapé mes mains. Il les a longuement palpées. Souviens-toi, disait-il, l'éloquence peut être muette, comme la plus profonde, la plus insoupçonnable des blessures. La mémoire est vigilante, elle avoue ce qu'elle veut bien. À tes mains de voir. Lis les peaux en aveugle. Tes mains doivent être aimantes, je veux dire avoir la force des aimants. Les meilleures mains perçoivent le langage des territoires cachés. Un coup sur la peau, c'est un caillou dans l'eau. Il donne naissance à des ondes invisibles, des arcs de cercle ordonnés autour du point d'impact. Si tes mains sont bonnes, elles trouveront ces courbes et remonteront à l'origine du choc. L'art est de sidérer la douleur, de la frapper de stupeur. Sous la cuirasse dort une faille.

J'ai ce mot en tête, cuirasse, en examinant Clara. Ne pas la toucher, pas encore, pas maintenant. Seulement écouter, juste parler, bien régler le timbre de ma voix, pas trop caressante, éviter le murmure qui éveille la méfiance, une voix nette, franche, qui n'insinue rien, qui ne juge pas. Sa sangle abdominale est serrée à exploser, ses flancs coulés dans la masse, des milliers de verrous se sont fermés sous sa peau. On dirait le système d'alarme de chez Van Cleef et Arpels. Autant marcher sur un champ de mines.

J'ai dit : « Allongez-vous sur le dos. » Elle a gardé sa culotte, son soutien-gorge, ses yeux hostiles, le sourire d'Asiate, son ventre d'hirondelle plombée. « Nouvelle leçon sur les muscles. Ce ne sera pas long. Les muscles en éventail, Clara, essayez de les ouvrir le plus possible, pensez aux plumes du paon, à une chevelure dénouée (elle a froncé les sourcils), à une gerbe de fleurs une fois coupé le lien de paille (j'arrête, son visage se déforme vraiment). Vos muscles du dos, vous ne devez pas les contracter. Vous confondez le dos et les poings. Votre corps est une soufflerie, ouvrez la cage, libérez la plèvre, grandissez-vous, qui vous a demandé de vous faire si petite ? N'oubliez pas, un éventail doit être déployé pour donner de l'air. Vos omoplates, imaginez deux lames coupantes. Vous

38

n'aurez plus peur que le ciel vous tombe sur la tête. »

Silence.

Je continue : « Imaginez que ces lames se déploient comme des ailes, laissez la vie les gonfler.

– Je n'aime pas les films de James Bond.

– Qui vous parle de James Bond ? Il s'agit de vous. »

Je voudrais la convaincre qu'un massage léger lui ferait du bien. Elle m'écoute en ne perdant pas mes mains de vue. Du coup, je les ai croisées dans mon dos. Je lui dis : « Vous voyez cet écorché de cire ? » (Elle détourne son regard vers les muscles « en berlingot » de mon bonhomme, c'est elle qui m'a appris le mot berlingot.) « Ou, alors, pensez aux renards bleus empaillés au musée de Bergen. Il serait absurde de les masser. On ne masse pas les cadavres, Clara. La main et la peau se parlent, se répondent. C'est une affaire de confiance. On ne masse que les vivants, vous comprenez, des êtres immobiles mais vivants. »

Je la sens perdue à l'intérieur de son corps. Elle me jette un regard de noyée. C'est comme si elle allait pleurer mais justement, pas une larme. Je n'obtiendrai rien tant qu'elle n'aura pas pleuré.

J'ai remarqué un muscle anormalement vrillé à son bras droit, une marque d'incision au poignet, franche, blanche, du cristal rayé. Et, sous ses pieds, une longue estafilade. Une idée m'est venue. « Si nous commencions par vos pieds ? »

Elle s'étonne, esquisse un sourire. « Si vous voulez. »

J'ai attrapé un tube de baume émollient. Mes mains glissent facilement, mais pas trop. Mes deux pouces joints appuient sur la voûte plantaire, avivent le torrent sanguin pour le renvoyer vers le cœur. Elle sent un ruissellement agréable dans ses jambes, un courant chaud comme le Gulf Stream sur les côtes de Norvège, ce sont ses paroles.

« C'est le sang du retour.

– Du retour vers où ?

– Vers la vie. »

Elle sourit encore faiblement. Je roule le revers de ma main sous ses pieds, passe mes doigts sur les berges de ses cicatrices. On ne parle pas. Ses yeux sur moi, ce regard pesant. J'ai voulu m'aventurer le long des chevilles. Aussitôt elle s'est tendue. Mes mains ne me trompent pas. Clara Werner a un homme dans la peau.

8

Mon père se tenait dans l'encadrement de la porte. « On me propose un poste à Londres. Je me suis dit que Dublin était à côté... »

Il est entré, a embrassé Anas, m'a serrée contre lui, trente-six kilos et des bleus sous la chemise à manches longues. Le temps qu'il aille aux toilettes, Anas m'a attrapé le bras en le pressant comme un cou de poulet. « Si tu parles, cette fois je te tue. »

Il serre toujours mon bras. La chasse d'eau. Le claquement du verrou. Les pas de mon père se rapprochent. La poignée de la porte du salon qui tourne. Il lâche, enfin. Je ne sais pas comment, mais j'ai l'impression que l'accordeur a repéré une trace sur mon bras. Ses mains me font peur. S'il me touche, il va s'apercevoir que mon corps est en mille morceaux. Ou qu'il n'existe pas. Et s'il réveille ma première peau, ma peau d'avant les coups de minuit, ce sera pire encore. Il verra l'empreinte de la mère, forcément. C'est à cause d'elle, notre histoire. Anas continuait : « Allons au bout de cette affaire. » Il n'avait pas besoin de brandir le contrat de mariage avec la mention VIERGE. Avant, quand il me baisait dans sa piaule du lycée, il ne s'était pas soucié de mon hymen. Mais une fois dressée pour devenir sa femme, et envoûtée qui sait – on envoûtait beaucoup de Blanches dans la médina de Fès –, une fois désignée comme sa nue propriété, il devenait dingue avec ça. Sa folie montait le soir, je la sentais gagner son visage, il serrait les mâchoires, tournait en rond, sa voix se faisait rauque, il ouvrait la fenêtre pour prendre le monde à témoin : « Avoue que tu as eu des hommes ! » Il n'écoutait pas mon silence effrayé, reposait la même question, reprenons, avoue, avoue. De guerre lasse, je finis par dire oui. Je croyais qu'il se calmerait. Ce fut tout le contraire. J'y songe encore certains soirs, au moment où la nuit arrive, sa folie commençait avec la nuit. Je m'engouffre dans un café illuminé de bougies, les Norvégiens allument des bougies partout et sans autre raison que de vouloir être gais, je m'installe au comptoir pour demander un verre d'aquavit, un petit verre bien entendu, j'oublie aussitôt que les nuits se ressemblent, que la nuit de Bergen se confond avec la nuit de Dublin. Il faudra que je parle du chat qui entra un soir par la fenêtre à Dublin, mais pas maintenant. C'est le dernier être que j'ai caressé. Je n'ai pas le courage maintenant car il en est mort.

Je comprends les aveux sous la torture, on avouerait n'importe quoi sous une pluie de coups, juste pour qu'ils s'arrêtent, pour mourir en paix. J'ai avoué, oui, j'ai eu un homme, des hommes, combien ? En veux-tu, en voilà, je n'étais plus à un près. À quel âge ? Il faut être cohérent, surtout quand on invente. Disons à treize, quatorze ans, parce que, à quinze ans, c'était toi mon amour. Les gifles dans les oreilles qui sifflent, la fenêtre grande ouverte à poil dans la nuit de Dublin, tu me lances une blague débile, je me demande d'où tu la sors, « un peu d'Eire, ça fait Dublin », le voisin doit se marrer avec sa bouteille de whisky et son sourire de petit garçon hors d'âge, et la propriétaire, elle se demande pourquoi je ne descends plus boire un doigt de sherry.

J'ai avoué. Cette nuit-là, il m'a violée sans me toucher, avec une bouteille de Coca en verre recyclable, le goulot froid et dur dans le ventre. J'avais déjà tout fait dans le genre marie-salope, a dit Anas, alors il fallait innover. Il a ajouté : on est au bout de l'affaire. Je me demande si je dois en parler à l'accordeur. À mon avis, il sait déjà.

Mais le chat, a-t-il deviné pour le chat? Pour comprendre il faut savoir qu'à Dublin, même les petits couples désargentés investissent dans un minuscule sèche-linge car sinon rien ne sèche dans cet air humide et froid. Et un matin, après la douche, un bruit de tambour a retenti dans l'appartement, Anas riait. Je me demandais bien ce qui provoquait sa joie soudaine. C'était devenu si rare. Je suis sortie nue de la salle de bains, une serviette sur les cheveux. Quand il m'a vue, il a ri de plus belle et m'a lancé : patiente une minute, tu auras de quoi te réchauffer. Un bruit sourd sortait du tambour. Je me suis précipitée pour arrêter le programme, il avait mis « tissu délicat ». J'ai ouvert la porte. Allongé sur mon chemisier blanc, la gueule grande ouverte et les yeux exorbités, il avait une tête d'épouvante, mon petit chat de malheur. Je l'ai attrapé, je l'ai serré contre moi en criant à travers l'appartement, son poil tout chaud et ce corps raidi entre mes mains, comme si tout ce que je touchais devait mourir.

Mon père avait senti le danger. Il me laissait des petits mots dans les toilettes. « Un avion d'Air France dans deux jours. » Je lisais son écriture appliquée d'instituteur, pleins et déliés, quel joli mot, délié, et Air France, mon Dieu, de l'air, la France. On est sortis tous les trois faire

44

la tournée des pubs, Anas ne pouvait pas refuser, au passage on a pris notre voisin, alors dans la rue il marchait devant avec le vieux soiffard, moi derrière près du père qui m'expliquait son plan : « J'amènerai Anas au restaurant, toi tu prendras un taxi pour l'aéroport, je te rejoindrai devant le guichet Air France. » C'était donc vrai, il m'emportait, il m'enlevait, il ne restait plus rien à Dublin que trente-six kilos de sa fille changée en peau bleue et pas un chat à caresser. La destination ? Londres d'abord. On dormirait une nuit à Londres. Une chambre était retenue dans un hôtel de Piccadilly. Une chambre, pourquoi pas deux ? On verrait bien, il fallait commencer par fuir Dublin. Le jour venu, mon père a dit : « Je voudrais vous faire un cadeau. Qui m'accompagne en ville ? » J'ai prétexté un coup de fatigue. Anas est sorti avec lui. Il n'a pas pu m'enfermer. Son regard se voulait une menace de mort, bouge un peu pour voir. Ils sont partis. J'ai rassemblé quelques affaires, trois fois rien, Anas m'interdisait le parfum, les vêtements neufs, lacérait mes dessous de salope, il avait même exigé que je coupe mes cheveux, ma longue natte. La propriétaire fut ravie de me voir, mais je préférai décliner son verre de sherry. Pendant ce temps, dans un pub de Dublin mon père sirotait tranquillement une bière avec Anas, un œil sur sa montre. Ensuite, il n'eut aucun mal à s'éclipser : « J'ai repéré un bel objet, attends-moi ici, ce sera une surprise. » Sitôt dehors, il se jeta dans un taxi direction l'aéroport. Je me disais : Anas attendra une demi-heure, guère plus. Après il rentrera à la maison. La propriétaire lui dira qu'elle m'a vue sortir avec un sac. Il comprendra. Il sera fou. Fou. Je l'imagine, il va se ruer vers les départs internationaux, me cherchera partout. Je vois déjà ses maxillaires gonflés, l'éclat brillant de ses yeux noirs.

Jusqu'au dernier moment j'ai craint qu'il surgisse dans le hall avant l'appel pour l'embarquement. Quand nous nous sommes sanglés à nos sièges, les minutes m'ont paru interminables, cet avion n'allait pas décoller ? Le commandant annonça que nous étions en huitième position dans la file d'attente. Les réacteurs, enfin. Je n'oublierai jamais cet instant de grâce, la course de l'avion dans la ligne droite, puis tout à coup mon corps soulevé, les maisons qui se font ridicules, c'était donc ça Dublin, un décor de théâtre, mais au théâtre on ne meurt pas pour de vrai. Je vis de nouveau ce moment chaque fois que je m'installe dans le salon panoramique de l'aéroport de Bergen. J'essaie d'oublier qu'en quittant Dublin j'aimais Anas à la folie ; en vérité, mon chéri, je t'adorais.

9

J'ai la preuve que je suis très forte. Je bois maintenant comme une vraie Norvégienne. Beaucoup et avec méthode. Sans rien laisser paraître. Olav m'a donné un bon tuyau. Pour apprécier l'aquavit, il faut en premier vider un ou deux verres de bière. C'est ce que j'ai fait ce soir au café Bryggen. Dehors, la nuit a chapardé l'image du port et des maisons en bois coloré du temps des marchands allemands. L'équipage au complet d'un baleinier occupe tous les sièges du comptoir. Un jeune colosse blond m'a fait signe de venir les rejoindre en criant « *krol!* ». *Krol* signifie crâne, Olav me l'a dit. Une énorme chope en main, les matelots trinquent à la manière des Vikings, « *krol, krol!* », dire qu'autrefois ils buvaient dans le crâne blanchi de leurs victimes. Je me suis approchée car la nuit a envahi la ville et, ce soir, Bergen pourrait être Dublin. Je ne peux résister, il faut que j'aille là où ça brille, près du zinc où la lumière fait miroiter les rangées de bouteilles d'alcool, les verres, les rires des marins, leurs dents argentées, leurs bagues et leurs chaînes en or. Vraiment je me sens forte. Je contrôle parfaitement. J'ai encore à l'esprit les paroles du directeur de l'Institut océanographique. Il va me confier de plus grandes responsabilités. J'essaie de deviner. Je serai sûrement dans l'équipe prévue pour mesurer le niveau de la mer à Bergen. C'est important qu'une ville sache où elle se situe par rapport à l'océan. Rien n'est jamais gagné, pas même la mer pour un port. On a vu tant de villes désertées par les marées pour n'avoir pas senti que doucement, en secret, les flots conspiraient, s'évanouissaient, Brouage, Aigues-Mortes, connaît-on ces veuves de l'océan ? Je ne peux rien faire d'autre, l'aquavit aidant, que de songer à la mère, la mienne. Comme j'aurais voulu qu'elle puisse entendre le directeur me complimenter, moi qui, petite, n'avais pas une belle peau, pas de beaux cheveux, ne savais pas m'habiller, parlais hors de propos, toujours à côté, et pour ne rien dire par-dessus le marché. La mère, tu devrais faire attention toi aussi, si je décidais que tu dois me quitter. À mon retour de Dublin, tes premières paroles dans votre logement de Blida, la nouvelle affectation du père, Blida, le bled après le Maroc, toujours ces malades mentaux qui me tiraient par la natte, celui qui me plaqua sa main dans l'entrecuisse en cherchant à m'embrasser, ces malades du sexe, la mère, à Blida, tes premiers mots à la fille de trente-six kilos et bleue de peur qui revenait : tu nous as coûté un million.

J'ai juré que je te les rembourserais jusqu'au dernier franc, je revois tes yeux levés, ma pauvre Clara, si tu devais nous rendre tout ce qu'on a dépensé pour toi...

Il faut arrêter de remuer tout ça. Je suis à Bergen et « *krol, krol!* » au jeune colosse qui me regarde en rigolant, « *krol!* ». Je bois à la santé du capitaine du baleinier. Il m'a l'air d'un vieux brave, pas Viking pour un sou, plutôt gros nounours à lécher. J'ai hâte de connaître mes futures responsabilités. J'aimerais embarquer au printemps pour le Sognefjord, j'ai entendu parler d'une expédition de recensement des phoques barbus. Je rêve de montagnes noires saupoudrées de neige, de cette eau calme et froide, des à-pics de granit que fissurent, m'a-t-on dit, des fleurs minuscules et obstinées. Mais j'y pense, le directeur de l'Institut a évoqué le marégraphe de Marseille. Il sera bientôt expédié à Bergen. Ils auront sans doute recours à moi pour déchiffrer les explications de montage, pour une fois qu'un mode d'emploi est rédigé en français. C'est épatant, l'aquavit après la bière. La nuit, il faut que ça brille autour de moi, des lumières, des flammes de bougies, des yeux d'hommes gais qui chantent et ne touchent pas, ne pas toucher, s'il vous plaît, comme les pièces uniques dans les musées. Je me sens aussi vieille qu'une pièce de musée.

Dans l'avion d'Air France pour Londres, je croyais rêver quand l'hôtesse a stoppé son chariot à ma hauteur. « Que voulez-vous boire ? » J'ai regardé mon père avant d'oser répondre. « Eh bien, ma chérie ? » J'ai demandé une petite bouteille de Château-du-Seuil, sur l'étiquette étaient dessinés les coteaux d'Aix-en-Provence. Mon père a pris pareil. Il m'a aussi proposé une cigarette. La première depuis... J'ai hésité. Je me disais : tu vas forcément payer, ce n'est pas possible autrement. J'étais traumatisée, après Dublin. J'ai bu et fumé, il ne m'est rien arrivé. J'épiais mon père, qu'allait-il me faire, car bien sûr il ne resterait pas sans rien faire. Soudain j'ai compris. Une chambre d'hôtel à Londres. Pourquoi une seule chambre et pas deux ? J'étais sur mes gardes. J'ai soupiré de soulagement quand j'ai vu les deux lits simples. « Bonne nuit, ma chérie. » Il m'a embrassée sur le front, j'ai laissé une loupiote allumée près de moi. J'ai attendu qu'il s'endorme, que sa respiration devienne lente, profonde, avant de sombrer à mon tour. Et Anas, que faisait-il à présent ? J'ai revu tant de choses pendant cette nuit de Londres. Presque toute ma vie a défilé comme un avertissement.

10

J'étais encore adolescent, mon père me deman-
dait de l'accompagner à l'hospice de Bergen,
c'était plein de vieux corps débiles surmontés de
têtes de fous qui avaient vu la lueur fatale de
Narvik. Nous avancions parmi les rangées de lits
dans le hall immense d'un ancien presbytère, sur
chaque table de chevet, je me souviens des Bibles
posées, et aussi des cornettes des sœurs qui nous
croisaient en baissant les yeux. Mon père marchait d'un pas de hasard mais sûr et décidé, la
rumeur se répandait de lit en lit, c'est l'homme
aux mains d'or! Les plus hardis risquaient des
« par ici, maître ». D'autres se contentaient
d'observer en silence le spectacle de mon père
guidé par son instinct, leur drap remonté
jusqu'au menton. « Des morts-vivants, me souf-
flait-il. Pourtant, crois-moi, je peux encore leur
être utile. » Il s'asseyait au côté d'une presque
momie, soulevait les couvertures, dégageait une

jambe décharnée. Le corps ne pouvait plus plier. On n'est jamais bien souple devant la mort. Et le miracle se produisait. On entendait au milieu de la salle le bruit soyeux de la main sur la peau huilée, mon père n'appuyait pas, il glissait, dégrippait, débloquait. « Il arrive un moment de la vie, m'expliquait-il, où le corps entier se transforme en douleur, une sorte de lésion totale. On n'a plus ni pieds, ni jambes, ni dos, ni ventre, seulement une douleur. *Avoir* est impropre. On *est* la douleur. La paume ressent un chaos sonore indescriptible en provenance des tissus abîmés. Pour se repérer au milieu de cette cacophonie, il faut un don. » Lequel ? Il me faisait signe de patienter. Puis, une fois seuls, il me livrait deux mots en secret : « Le don, c'est la main absolue. » Je faisais mine d'acquiescer, cherchant vainement quelle magie au bout de ses doigts l'avait consacré enchanteur des vieillards, en particulier des petites vieilles qui me retenaient par la manche, à l'instant de partir : « Votre papa, c'est un as, vous savez. » Lui n'écoutait pas, une autre douleur le réclamait. Si je lui demandais pourquoi elles l'aimaient tant, il répondait en esquissant un sourire : « Elles croient que je ne les vois pas. » Dans son regard éteint, elles restaient jeunes à jamais et ses mains seraient leurs ultimes pourvoyeuses de caresses. J'ai gardé l'image d'un homme en fin de vie incapable de soulever son bras. Mon père avait attrapé son poignet, puis, d'un coup sec, comme on marque un but au babyfoot, il avait fait jouer l'articulation. Au bout de quelques secondes était monté du lit un souffle tranquille. Le malheureux s'était endormi. Nous étions repartis sur la pointe des pieds. Mon père n'avait pas bronché jusqu'à la maison. Là, il m'avait mis en garde : ne vois là aucun prodige. Il arrive que les muscles et les tendons s'emmêlent, pareils à du fil de pêche. Un nœud appelle d'autres nœuds. Trouve l'obstacle majeur et le reste viendra. C'est affaire de patience, un long négoce avec l'invisible et le silence pour obtenir de la vérité qu'elle obéisse au doigt et à l'œil. N'oublie pas qu'un corps ment par omission, c'est sa façon de survivre aux épreuves.

Depuis que Clara fréquente ma consultation, j'essaie de me remémorer chacun des indices paternels. Le corps de la jeune femme est vivant, mais je ressens une manière de renoncement, un « à quoi bon » digne de la vieillesse. Ne pas la toucher, c'est ne pas la sauver. Le danger qui la guette me brûle les mains. Mais impossible d'avancer. L'autre jour, ébauchant un geste en direction de ses chevilles, j'ai à peine eu le temps de déceler la trace d'une fracture, peut-être une chute à skis. Si seulement... Mon père me parlait souvent de ses petits autistes. Il ne m'emmenait jamais auprès d'eux, craignant de m'ébranler. Il disait que ces enfants n'avaient pas conscience des limites de leur corps. Seul un massage leur redonnait la sensation d'un territoire intime en retraçant les contours d'une jambe, d'une épaule, d'un visage. Je crois que Clara ignore où commence son corps, où il finit. Elle le traite comme une poubelle sans fond qui craint les coups de pied mais les attend pour faire un bruit qui ressemble à la vie.

Avant sa mort, mon père avait eu l'immense joie de suivre les jeux Olympiques de Lillehammer. Il régnait dans une casemate de bouleau au pied du tremplin de saut à skis. Les journaux ont suffisamment rendu compte de la métamorphose du champion national Franz Dokken pour qu'il soit inutile d'être trop long. Pris de soudains vertiges, le jeune athlète de Stavanger n'était plus en mesure de s'élancer à tombeau ouvert sur le toboggan gelé. En l'air, il se désunissait dangereusement. Lorsque mon père le reçut, il était au bord de l'abandon. D'après les commentaires de la presse sportive et le témoignage de Franz Dokken lui-même, une seule séance le remit d'aplomb. Mon père déplaça doucement les pièces osseuses de son crâne faussées par une chute ancienne dont il retrouva la trace muette par effleurage. Une palpation minutieuse avait révélé une tension anormale sous la tente du cervelet. Deux mains fermes effacèrent le traumatisme. Le reste, c'est le champion qui l'a raconté aux envoyés spéciaux : « L'accordeur m'a dit : quand tu t'élèves dans le vide, pense que ta tête est encore entre mes mains. Je les ai senties tout le long du saut victorieux, deux mains qui me protégeaient du vertige. » Je me souviens du gros titre au-dessus de la photo de Dokken avec sa médaille d'or : « Les mains invisibles de Lillehammer. » Certains soirs, je revois les visages des petits vieux esquintés que soignait mon père, dans la Maison des corps brisés, et les coquettes qui se croyaient dispensées d'usure dans le reflet de son regard. Je pense à notre champion de saut alpin et à sa victoire contre la peur du vide. Je me dis qu'un de ces corps détenait sûrement l'énigme de tous les corps, la clé universelle, le passepartout qui mène à Clara. Pour la première fois depuis que j'interroge l'architecture humaine, présomptueux qui croyait la connaître sur le bout des doigts, j'ai observé sur une jeune femme de vingt ans et des poussières une *terra incognita* entaillée comme les côtes de mon pays, un être aux apparences familières dont je sais seulement qu'il repousse ma main. J'éprouve devant ce continent si proche et résolument lointain la tristesse qui me saisit lorsque, découvrant la neige fondue sur les trottoirs de Bergen, je pressens la fragilité des bonheurs terrestres.

11

Je me doutais bien que c'était une erreur. Mais à dix-sept ans, qui peut se targuer d'avancer dans la vie sans une faute de parcours, pas les gosses de famille, les parfaits, les irréprochables, même pas eux, j'en suis sûre. L'erreur s'appelait Anas, une magnifique erreur, pour être beau, il était beau, comme ces jeunes mâles d'Orient insaisissables et sûrs d'eux qui fument du tabac brun les yeux plissés, le corps à détente souple, le ventre plat et ferme, avec cet air de dire aux femmes : vous voulez connaître l'homme, me voilà. Les parents m'avaient exilée à Aix-en-Provence, un studio place des Quarts-d'Heure, le temps ne passe pas, à dix-sept ans, quand on aime un homme idéal à la peau dorée qui vous a déjà élue plus belle fille de toute l'Afrique, même s'il n'est pas descendu plus bas que Fès, les quarts d'heure sont plus longs que les jours, que les mois. Un été, j'ai animé une colonie de vacances dans le massif du Vercors. À la fin, on m'a versé deux mille cinq cents francs d'argent liquide. Je me revois accroupie au pied du lit étalant mes billets, repassant les pliures comme sur un plan d'évasion. Sans prévenir, j'ai pris un train pour l'Espagne, direction Algésiras, tout en bas. Je suis arrivée tard un soir de septembre. Le dernier bac pour Tanger était parti. Il faudrait attendre le lendemain matin six heures. Les hôtels étaient pleins. J'ai voulu dormir dans un fauteuil au milieu d'un hall, on m'a chassée. Sur le port, les douaniers me regardaient d'un drôle d'œil, avec mes dix-sept ans, mes lèvres serrées, ma petite jupe de coton. L'un d'eux s'est approché de moi. « Vous ne pouvez pas rester ici. » Dans ses yeux passaient la surprise, la frayeur, l'envie. Comme je n'avais pas d'abri, il m'a confié les clés de son auto, une Fiat 500 garée dans la zone portuaire. « Je vous réveillerai un peu avant le départ du bateau. » Il a tenu parole.

À Tanger, j'ai loué un grand taxi. J'avais assez d'argent pour m'offrir ça. Une vieille Mercedes. J'ai demandé au chauffeur de ne pas rouler trop vite. Je voulais que le Maroc me reprenne en douceur, les lumières, les visages, les parfums de fleur d'oranger, je voulais penser voluptueusement à Anas qui ne savait rien de mon équipée. À Fès, j'ai appris qu'il était en vacances à Ifrane, la station de ski des riches fassi. On m'a indiqué un court de tennis. J'entends encore le rebond des balles sur la terre battue, le fouetté des tamis. Il me tourne le dos, concentré. Dans un instant, il me verra derrière le grillage, mon cœur est sur le point d'éclater. Ça y est, il s'est retourné. Il a dû me sentir. Son visage ébahi, un sourire interrogateur, que fais-tu là ? Je suis restée deux jours, deux nuits. Puis il a voulu savoir si mes parents étaient au courant. Quelle question ! J'ai préféré rentrer. J'ai repris un louage pour Oujda, j'avais la fièvre. J'ai rejoint les parents à Blida, déjà Blida. Et la mère : « La lampe en pâte de verre a disparu dans le studio d'Aix. Tu l'as vendue pour te faire de l'argent, avoue. » Trois ans elle m'a prise pour une voleuse et une menteuse. À elle aussi j'avais fini par avouer. Jusqu'au jour où, cherchant une malle dans son garage, elle a retrouvé la lampe en pâte de verre, intacte, pas une égratignure, avec l'ampoule à baïonnette fixée au col de laiton.

Si je pense à ma cavale à travers l'Espagne, aux douanes d'Algésiras, à la place des Quarts-d'Heure et au visage surpris d'Anas qui ne m'a pas retenue, c'est à cause de cette Coccinelle garée depuis une heure devant le café Bryggen. J'ai beau boire d'autres verres d'aquavit, ce soir je ne compte plus, elle ne me quitte pas des yeux, et ne croyez pas que je suis ivre, j'ai toute ma tête pour dire que c'est elle qui me regarde avec ses yeux pâles, immobiles sur la jetée des Allemands. C'était l'année du bac, à Aix. Il me manquait. Un jour, place des Quarts-d'Heure, dans le sens des aiguilles d'une montre, j'ai vu tourner une petite auto rigolote et toute ronde, il était au volant. On est partis pour l'Italie. Florence. Au bout de trois semaines, on n'avait plus un sou. Le dernier plein, on l'a brûlé jusqu'aux Issambres où les parents se remettaient d'une saison en Algérie. Toute ma vie je reverrai la scène. Je sonne à la porte, mon père a ouvert. Sans un mot il repousse Anas, le repousse dans l'escalier, le repousse dans la rue, dans la voiture, notre voiture, la Coccinelle. Il lui a mis son pied au derrière, lui a crié « tu n'es pas un homme, tu n'as pas de couilles », à lui, à Anas ! Je sanglote, je cours à la poursuite de la Coccinelle qui s'envole. On m'a toujours dit qu'une coccinelle, il faut la garder contre soi et attendre qu'elle déploie ses petites ailes : là, on est sûr de récolter du bonheur. Sinon... Je cours et crie, je sais bien qu'Anas n'a plus d'argent. Il n'a plus rien à lui, pas même sa fierté de jeune mâle inculquée par sa mère. Il est devenu indésirable sur le sol français, en quête d'un bateau pour rentrer dans son pays. Plus tard, j'ai su qu'il avait échangé la Coccinelle contre son billet de retour en troisième classe à bord d'un navire des Messageries qui puait la pisse et la sueur. J'y pense maintenant. Sur le parquet en point de Hongrie, dans notre appartement de Dublin, parmi mes livres déchiquetés, la couverture des *Coccinelles* de Paul Gadenne, l'un de mes préférés, peut-être le plus beau, oui, sûrement le plus beau, je ne l'ai jamais retrouvé, nulle part.

« *Krol* », vient de crier le capitaine du baleinier. L'auto a disparu du quai. Un gros homme à la face plate est venu vers moi. Il me dit en français qu'il me regarde depuis tout à l'heure et qu'il aimerait me peindre entièrement nue.

12

Quand nous étions enfants, mon frère Bjorg et moi, mon père nous recommandait de ne pas dire que nous étions de Bergen car, affirmait-il d'un air réjoui qui semblait illuminer jusqu'à son regard de statue, il est mal élevé de se vanter. Maintenant que mon père repose sur la plus haute des sept collines de la ville, je peux m'abandonner à la fierté d'être d'ici. Je ne suis sûrement pas le seul, tant la longue nuit de nos hivers pousse les enfants de cette terre, quand ils ont grandi, à considérer leur survie comme l'œuvre de la patience et de la force, d'une certaine folie qui n'exclut pas, au contraire, un penchant pour la philosophie, le quant à soi et la mélancolie. Je songe à tout cela en me rendant sur la « colline enchantée » de Troldhangen où dort la petite maison d'Edvard et Nina Grieg. À force de recommander aux musiciens égarés dans mon quartier un voisin accordeur, il fallait bien que cela se produisît : l'un d'eux n'était autre qu'un soliste du London Sinfonietta venu répéter sur le violon du maître en prévision du festival de Bergen. L'événement est prévu au printemps, lorsque nos dieux brumeux auront déchiré le ciel gris pour nous offrir enfin le soleil et les horizons mandarine. Comme je lui avais indiqué un homme de l'art irréprochable, mon visiteur est revenu l'autre soir me remercier. Il tenait dans sa main gantée une invitation au concert privé qu'il donnera tout à l'heure au crépuscule. J'acceptai avec joie et décidai même de terminer mes soins plus tôt afin de gagner les lieux à pied, dans l'ultime lumière de nos jours ratatinés par décembre. Gravissant la butte de Floyen, j'ai entraperçu ce que serait le lointain mois de mai. Les bras de mer enserrant Bergen étincelaient d'un bleu profond. Une lueur vive rebondissait sur les vitres des maisons de bois peint et miroitait jusque dans les profondeurs de la vallée, comme les signes qu'auraient lancés de mystérieux guetteurs embusqués à l'aide de pièces brillantes ou d'éclats de verre. J'avais déjà en tête des phrases entières de la *Suite Hollberg* annoncée sur le programme, avec ses notes fluides sans doute inspirées du paysage offert à mes yeux, même si Grieg s'honorait que sa musique sentît le poisson, amoureux indéfectible de notre morue du vendredi et des quais de pêche laissés aux mains des trafiquants de Lübeck et de Brême.

Je m'installai sous les lustres du salon de musique. Le Steinway fit entendre ses sonorités argentines, c'étaient les premières bouffées de chaleur dans l'interminable hiver. Oubliant les lambris de sapin et les rideaux brodés, je ressentis cette même fierté qui m'avait étreint quand je marchais jusqu'ici, pas seulement la fierté d'être né à Bergen, mais tout simplement d'appartenir au peuple de Norvège. Comme le clavier de Grieg se mettait à gronder, je vis paraître notre Dieu Odin respecté pour avoir sacrifié un œil en échange de la Sagesse, pensant à la sagesse de mon père qui avait traversé la vie dans la nuit noire de sa naissance. Piano et violon s'unissaient dans le fameux quatuor de Grieg, mes doigts s'étaient mis sans contrainte à danser sur mes genoux, je murmurais les noms bénis d'Éric le Rouge et de Harald aux beaux cheveux, je me souvenais qu'un enfant du pays avait lancé l'expédition du Kon Tiki. Puis, soudain, au-dessus du piano, inaccessible, s'éleva le chant aigu d'un violon, superbe, isolé, fragile, semblable au cri modulé des fous de Bassan lorsque les submerge l'appel du nid. Ce bref morceau, pas même une ligne sur la partition de Grieg, m'atteignit comme la petite phrase de Vinteuil au cœur de Swann. Et c'est tout naturellement que, l'âme inondée par l'aura diffuse d'un génie français, je sentis la présence de Clara Werner, son impalpable présence. Je me jurai qu'à mon retour je consulterais le seul livre écrit par mon père, *Dans la maison des corps brisés*, dont je possédais un exemplaire en braille. Très tôt j'avais appris la lecture dans le langage des aveugles, mon doigt derrière le doigt paternel ouvrant chaque page en éclaireur. Dans mon souvenir, il y était question d'un corps vandalisé pendant l'assaut de Narvik. Mon père n'avait jamais réussi à le toucher jusqu'au jour où il avait décelé une ouverture. Seule sa main gauche, plus chaude, plus douce, la main de son cœur, s'était ménagé un accès à ce monument de souffrance. J'y ai pensé tout à coup en portant mon regard vers le violoniste, mon visiteur du London Sinfonietta. Il tient son archet à merveille mais c'est sa main gauche, la « sinistra », qui m'éblouit, araignée mélomane tissant sa mélodie à même la corde nue et tendue.

Nue et tendue, comme le corps de Clara Werner.

Le concert s'est achevé sur une musique de chambre du temps des fiançailles secrètes de Grieg avec Nina. Après la dernière apoggiature pour viole de Hardanger, le public s'est retenu d'applaudir, hésitant à briser l'ambiance cristalline qui enveloppait le pavillon de musique. La lumière a jailli dans les lustres. Un ami armateur, que je n'avais pas remarqué en m'asseyant, s'est proposé pour me raccompagner à Bergen en auto. J'ai accepté. Nous avons lentement descendu la colline dans sa petite Coccinelle au moteur ronflant. J'imaginais à travers l'obscurité les pétales blancs des pommiers en fleur et les aiguilles de sapin que nous promettait le printemps. « Qui vivra verra », lança mon chauffeur, et sans que je puisse aussitôt me l'expliquer, ce « qui vivra verra » me serra la poitrine. Nous en vînmes à évoquer notre pays, c'était comme si je l'avais associé à mon monologue intérieur à la manière du chèvrefeuille entortillant une clématite. Lui aussi évoqua le Kon Tiki avec émotion, le célèbre Thor Heyerdahl était de ses cousins éloignés, mais on n'est jamais trop éloignés les uns des autres, en Norvège. Comme je le félicitai pour son port de jeune homme, il me parla des bains de glace qu'il prenait dans le fjord gelé. De novembre à mars, par immersions progressives, il se plongeait jusqu'au cou dans cette eau pure et s'en trouvait, assurait-il, régénéré. Incapable de tenir une conversation passionnée tout en conduisant, il avait fini par garer sa Coccinelle sur la jetée allemande. Ses phares blancs projetaient une violente lumière vers l'intérieur du café

Bryggen. C'est ainsi que se découpa la silhouette de Clara Werner au bras de notre peintre maudit Magnus Vog. Je précise « maudit », car le malheureux n'a plus réalisé une seule toile depuis sa dernière exposition qui remonte très loin, l'année où il s'est mis à hanter les bistrots bergenois. Découvrant ce couple irréel dans le pinceau des phares, j'entendis les premières mesures du morceau de Grieg intitulé, sur les livrets d'époque, *La Fiancée du troll.*

13

L'atelier de Magnus Vog se trouve dans un quartier excentré de Bergen, à proximité du musée des Lépreux, sur Kong Oscars Gate. Un samedi, j'ai demandé à Olav de m'y conduire. Il a voulu savoir si nous irions ensuite à l'aéroport. Ma réponse négative a paru le contrarier. Surtout quand j'ai ajouté : ne m'attendez pas, je rentrerai par mes propres moyens. Mes propres moyens ! Dire qu'à vingt-trois ans je n'ai jamais été fichue de passer mon permis de conduire. J'ai bien essayé pourtant, l'année de mon mariage. Nous habitions une petite maison à Fès. J'envisageais de poursuivre mes études de biologie ou d'entreprendre une formation agricole, si d'aventure on m'offrait un jour la belle propriété aux orangeraies. C'est la mère d'Anas qui n'a pas voulu. Je l'entends encore, la Zoubida de malheur, maligne en diable avec sa voix d'éternelle plaintive : « Ma fille, ta place n'est pas à l'université. Laisse tout ça à ton mari, on lui achètera un bon diplôme. Fais-toi belle, apprends la cuisine, apprends à te taire, à écouter, grossis un peu tu es si maigre. » J'ai voulu résister. Un après-midi, j'ai pris une leçon de conduite. Un frère de Zoubida m'a vue, ou un cousin, enfin je ne sais qui de la tribu des Boul Bachir, à croire que Fès leur appartenait, ces gens étaient partout. J'imagine la suite. La mère (elle aussi, je l'ai toujours appelée comme ça, la mère) a dû prévenir son fils, le convoquer dans sa chambre où elle trônait droite dans son fauteuil d'osier verni bourré de fanfreluches, elle aura dit : il est temps de tenir ta femme, elle traîne dans les rues, on la montre du doigt, déjà qu'elle fume comme un homme, voilà qu'elle conduit une automobile, Anas, on rira bientôt à ton passage. Je préparais une salade de fruits. Il est arrivé comme un fou. Il était fou. Il criait, je ne comprenais rien. Je l'ai supplié de se calmer. Il a hurlé de plus belle. Puis il a pris un fil électrique qui courait sur un mur et traversait le plafond dans toute sa longueur. La violence de son geste quand il l'a arraché, je n'oublierai jamais. Les petits cavaliers de métal qui tenaient le fil sautaient un à un, clac, clac, clac, clac !, laissant dans le plâtre frais les impacts d'une mitrailleuse. J'ai tenté de le calmer. Ce n'était qu'une leçon d'auto-école. J'ai reçu la première trempe de ma vie, comment dire autrement, sa bague avait éclaté ma lèvre, une preuve d'amour, jugea sa mère, mon oreille resta noire pendant presque un mois. Je renonçai à conduire mon existence. J'espérais que tout irait mieux quand on aurait quitté le Maroc. Anas ne voulait pas entendre parler de la France car c'était mon pays et, là-bas, il ne serait qu'un Arabe qui baise une Française. C'est comme ça qu'on a fini à Dublin, à cause des filles de ce couple mixte que fréquentait Zoubida. Longtemps j'ai rêvé de Dublin.

Auparavant, l'atelier de Magnus Vog était un dépôt de poisson. Il règne une odeur tenace de morue que l'essence de ses peintures n'a pas chassée. La première fois, je n'ai pas su si j'étais dans son atelier ou dans son appartement. Des tableaux gisaient au sol. D'autres avaient envahi un canapé de cuir blond recouvert d'une bâche transparente. Plusieurs toiles jonchaient un grand lit installé au beau milieu de ce foutoir, à côté de bouteilles d'alcool vides. Il m'avait vue arriver à travers la verrière qui donne sur son jardin fleuri de ravissants pauwlonias. Je lui ai demandé comme il s'y prenait pour avoir des pauwlonias en plein hiver à Bergen. Il m'a montré du doigt une petite serre chauffée. Je suis entrée chez lui. Il a dégagé précipitamment un fauteuil. J'ai failli m'asseoir sur un cadre minuscule. « Pas d'importance, a-t-il marmonné, très mauvais. » Pendant quelques minutes il m'a observée sans un mot et j'ai fini par penser qu'il y avait eu méprise, l'autre soir, lorsqu'il m'avait proposé de devenir son modèle.

Bien sûr, il ne pouvait pas imaginer mon émotion. Déjà le directeur de l'Institut et ses félicitations pour mon travail... Je l'aurais embrassé, j'en aurais pleuré. Et puis Magnus Vog, dans ce bistrot des quais, il était sûrement un peu éméché, même pas mal, mais j'avais beau fouiller dans ma mémoire, nul n'avait songé depuis ma naissance à me prendre pour modèle. Je me disais : enfant modèle, petite fille modèle. J'ai regardé dans mon dictionnaire à la lettre *m*, modèle : ce qui est donné pour servir de référence. J'aurais payé cher pour que la mère soit témoin de cette scène (j'ai toujours payé cher mes vœux les plus chers). Un artiste avait demandé sa fille pour modèle. Je sais, un poivrot comme il y en a dans tous les ports. Mais je n'y peux rien, ça m'a fait chaud d'entendre de cette bouche, dans ma langue maternelle, que j'étais assez belle pour inspirer un peintre. Évidemment, cela n'aurait rien changé. Pour être digne d'égard aux yeux de la mère, il fallait être sorti d'une grande école, de Sup-Aéro comme la fille machin ou de Normale comme je ne sais plus qui. Pas de son ventre.

Avais-je mal compris ? Magnus Vog me dévisageait, incrédule. Cela n'était donc qu'un propos d'arsouille aussi vite oublié ? J'allais repartir. Il finit par me dire : « Non, restez ». Il continuait à me boire des yeux, puis il les ferma un moment qui me parut très long. Pardonnez la comparaison, j'ai vu parfois des Norvégiens dans cette posture quand ils reçoivent comme un don du ciel un rayon de soleil inattendu. Je me suis dit : je suis le soleil de quelqu'un et c'est moi qui ai chaud tout à coup. J'ai ôté mon anorak en laine polaire. Le peintre était ému, ses yeux s'étaient embués. Je ne m'étais pas rendu compte qu'il était si vieux. Il a essuyé deux petits verres poussiéreux qu'il a remplis d'un liquide ambré. « Whisky. » On a trinqué. La laideur de son visage était remarquable, presque fascinante. Sur sa figure lunaire brillait un regard d'une insondable mélancolie, des yeux au bord du vide qui ne semblaient plus rien avoir pour se retenir sinon les horizons vacillants de ses anciennes toiles barbouillées de cercles difformes pareils à des montres molles. « Mes angoisses, s'excusa-t-il. Vous savez, je ne peins plus depuis sept ans. »

Je lui fis signe que j'étais au courant. Il continua. Son regard ne me lâchait plus.

« Il y a sept ans, j'ai revu *Sonate d'automne* dans un cinéma de Bergen. J'ai pleuré. Quand je me suis retrouvé dans la rue, j'ai aperçu la silhouette d'une femme qui avançait vers moi. Ce n'était pas encore la nuit. Elle est arrivée à ma hauteur et j'ai reconnu Liv Ullmann. Si je n'avais pas assisté à la projection du film, je n'aurais sûrement pas eu le courage de l'aborder. Mais je venais de passer deux heures en sa compagnie et voilà qu'elle marchait dans ma direction, son visage à peine changé sauf quelques rides magnifiques. Alors je me suis lancé : je suis Magnus Vog, voudriez-vous poser pour moi ? Elle m'a souri, inoubliable et douloureux sourire. Puis elle a répondu : je suis vieille maintenant, vous devriez peindre la beauté. Elle m'a laissé avec ces mots. Je suis resté tout ce temps sans pouvoir toucher une toile. Mais lorsque vous êtes entrée l'autre soir dans ce café, mon cœur s'est mis à battre et j'ai éprouvé une impatience dans la main. Une lumière blanche venue du dehors éclairait votre visage, les phares d'une auto.

— Oui, une Coccinelle, ai-je répondu sans réfléchir.

— Peut-être. Je suis très sensible à la lumière, à cause des ombres qui l'accompagnent.

— Vous trouvez que je ressemble à Liv Ullmann ? »

Il m'a fixée plus intensément.

« Je ne crois pas. C'est plus important. Vous ressemblez à la beauté. »

C'est moi qui ai voulu. Je me suis déshabillée devant lui. Il a aussitôt attrapé un crayon et a fixé mon corps sur du papier à grain serré. Jamais je n'avais éprouvé une telle sensation de liberté auprès d'un homme. De temps en temps il m'offrait son visage de zébulon, ses yeux semblaient sourire, ou rire. La séance a été brève. J'ai remis tous mes vêtements. Qu'aurait pensé l'accordeur de mon audace ? Dehors, j'ai marché. L'air vif du soir entrait comme une fête dans mes poumons. Au loin brillait la tache laiteuse d'un cygne blanc, l'enseigne des pharmacies de Bergen. Je suis restée interdite devant cet oiseau immaculé qui me rappelait mes visions dans la médina de Fès, après le passage de l'aiguille à méchoui au fond de mon ventre. Je me suis demandé si j'étais malade. Ou guérie.

14

Il est paru douze éditions de l'ouvrage *Dans la maison des corps brisés* entre 1946 et 1994, l'année de la disparition de mon père. Il avait eu le temps de relire et de corriger les ultimes épreuves en braille puis s'était éteint d'un coup, au petit matin, comme une lampe qui n'a plus d'huile. Je l'avais trouvé affaibli, les derniers temps, une tension d'oiseau, les gestes plus lents mais toujours aussi sûrs. Il lisait les corps du bout des doigts, et cette lecture agile lui semblait aussi limpide que les points saillants du braille sur le papier marouflé de ses livres. La première édition était encore marquée par les années de guerre. Il n'était question que des mutilés dont il réparait les corps sous l'écorce brûlée, tailladée par les éclats d'obus ou figée dans une terreur retrospective qui paralysait des membres pourtant intacts. C'est à cette époque que mon père inaugura les massages cicatriciels autour des plaies, les percussions sur les membres engourdis, les exercices d'étirement lent et de respiration ventrale, la course arpégée des doigts sur le ressaut des vertèbres, à hauteur des scalènes, là où l'homme s'efforce de tenir la tête droite. Pour mon père, un blessé ne pouvait guérir s'il n'était rétabli dans l'enveloppe de sa peau. Les mains du praticien devaient lui rendre la souplesse et la sensation d'une veille musculaire. Il recommandait l'emploi de vessies de glace enveloppées de flanelle sur les cous rigides, sur les genoux enflés. Il comptait avant tout sur ses mains qui devaient garder en toute occasion, écrivait-il, l'esprit de corps.

Dans les éditions suivantes, mon père s'intéressa aux victimes d'accidents sur les plate-formes pétrolières en mer du Nord. Chutes dans les escaliers métalliques, entorses, ruptures de tendons et de ligaments, épreuves du feu et de l'eau, de l'enfermement au milieu de l'océan. Un inventaire précis des affections signalait les fourmillements, les impressions de coups d'épingle dans le carré des lombes, les torsions de muscles épineux alentour de la colonne, l'enfléchure du dos supportant tout le poids de la terre perdue, de la mer omniprésente. Patient après patient, mon père avait fini par établir une géographie secrète du corps humain. Il naviguait sans carte au milieu des fluides et des ondes électriques, des angles vifs et des chairs molles, le long de sillons souterrains.

Dans la dernière édition, que je tiens entre mes mains, il livre les ultimes fragments de son art. Très tôt il frotta à la pierre ponce la pulpe de ses index pour mieux saisir l'écho intérieur de la vie. Il laissa s'allonger les ongles de ses pouces, n'hésitant jamais à provoquer une réaction sanguine dans le dos et les reins congestionnés de ses malades qu'il griffait d'un trait net et rapide. Je lui dois aussi ce qu'il me montra sans jamais l'écrire, sauf sous forme de notes verbales laissées sur les bandes audio de son dictaphone. Le massage ondulatoire des muscles tétanisés, les mouvements de la paume en rocking-chair, l'éveil de l'arc réflexe, la rééducation des mains blessées par des exercices d'ombres chinoises, araignée, papillon, loup, et, tous les doigts réunis en corolle, bouton d'iris s'ouvrant doucement. Sur une cassette enregistrée, j'ai décrypté un passage qui m'intéressait pour Clara Werner : « Chez un droitier, explique la voix tranquille, la main gauche est gauche, c'est-à-dire maladroite, moins forte, en tout cas moins assurée de sa force. Cette main ne doit jamais être négligée. Le praticien ne cherchera pas à rendre "dextre" sa "sinistra". Au contraire, il s'appliquera à préserver sa personnalité de main qui approche sans prendre ni surprendre.

76

Elle est la seule à permettre le contact avec les corps qui ne sont plus assurés de leur propre existence. Sa faiblesse est sa force, sa force est sa faiblesse. » J'ai écouté ce passage à plusieurs reprises. J'entendais aussi le souffle de mon père, l'un des derniers, son lent phrasé, les mots sur lesquels il appuyait, « personnalité », « faiblesse », comme pour mieux se convaincre. Puis, j'ai longuement observé ma main gauche.

15

Qui n'a pas vu la pluie tomber à Bergen ne sait rien de la pluie. Chaque jour il pleut. Ici, lever les yeux vers le ciel n'est pas un signe d'espoir mais de résignation. Une pluie qui ne mouille pas, prétendent les Bergenois pour faire bonne figure devant une étrangère. C'est vrai qu'elle ne mouille pas, à condition de lui échapper, de pousser la porte d'un de ces pubs où la bière pression et les jeux de fléchettes s'y entendent pour égayer les nuits précoces de la cité hanséatique. Depuis quelques jours, je sens qu'il me manque quelque chose, sans bien savoir quoi. Cela m'est tombé dessus plus fort que la pluie en entrant dans le Bors Kafé, le premier établissement hospitalier quand on vient de Kong Oscars Gate, sur le quai des Allemands. Justement, j'arrivais de là, une séance de pose chez Magnus Vog, je finirai sûrement par en parler. Mon parapluie ne m'était plus d'aucun secours. Les gouttes tombaient à l'horizontale, de petites gouttes malicieuses voyageant avec les rafales de vent, des bonbons liquides fourrés de neige. Je suis entrée. Il faisait chaud à l'intérieur. On entendait le chant étranglé des percolateurs, le bruit mat des fléchettes qui se plantent dans le liège. J'ai commandé un Viandox et je me suis installée au fond d'un gros fauteuil aux accoudoirs brûlés par la cendre des cigares, devant une table de bois rouge tachetée d'alcools. Personne ne s'est occupé de moi. J'étais tranquille dans ce brouhaha de norvégien délicieusement incompréhensible, sauf les sempiternels « *krol* » ponctuant le choc des verres à poignées. C'est une gravure ancienne au-dessus du comptoir qui m'a mise sur la voie. Je ne peux trouver meilleure expression, il s'agissait d'un train. Un couple souriant se penchait à la portière, l'homme en costume sport tenant dans sa main, repliée, une ombrelle. Ils saluaient des amis venus les accompagner à la gare, leur dire un dernier au revoir, emmitouflés dans d'épais manteaux à col de fourrure, de la zibeline ou du vison. En lettres d'or au sommet de l'affichette, cette simple mention : Orient-Express. À plusieurs reprises, mon regard est revenu sur le couple en partance. Et sur un mot, un seul mot, le premier : Orient. Soudain mon corps s'est

79

mis à brûler intensément. Une onde m'a envahie. Prise de panique, je suis descendue aux toilettes. Une pauvre lampe à huile de poisson permettait à peine de se diriger. J'ai interrogé le miroir de l'espace réservé aux dames. D'une main nerveuse j'ai déboutonné mon chemisier en vérifiant que personne n'approchait. J'ai aussi roulé mes bas jusqu'aux chevilles. Je me suis redressée, soulagée. Aucune rougeur suspecte n'était venue marbrer ma peau. Tout s'était passé à l'intérieur, au plus profond. L'appel silencieux, impérieux de l'Orient. On m'avait prévenue, l'hiver à Bergen est un contrat passé avec le gris du ciel. Seule l'arrivée du printemps permet de le résilier. Et l'hiver, à Bergen, on ne peut pas imaginer le printemps. On ne peut qu'attendre. Les parents le savent qui vantent à leurs enfants les bienfaits de l'huile de foie de morue au cas où le soleil deviendrait de glace.

Je me suis assise de nouveau, à l'écart des clients. Sur la gravure, le Train bleu n'allait pas tarder à démarrer. Était-ce la lueur chancelante d'un lumignon ? Il m'a semblé que les joues du couple avaient rosi. Le brouhaha du café est venu enfler la rumeur des adieux sur le quai de l'Orient-Express. Moi j'étais déjà loin, dans le Tanger-Rabat-Casablanca. Une lumière éblouissante, la chaleur toute neuve d'un matin au

Maroc, les pointes émergées de l'Atlas, au loin, leur éclat de diamant. Une terrible envie de soleil. Le désir inavouable de cette beauté absolue aux reflets rouge et or, comme la livrée des chasseurs du vieil hôtel Radisson, sur le port de Bergen, m'en envoyait la réplique fanée. Ce qui me manque, c'est la lumière. Les parfums. Le sable tiède, ses crissements sous les pieds. Le jasmin. Le thé brûlant. Les ciels profonds. Les oranges, leur jus qui s'écoule le long des doigts, l'odeur qui persiste longtemps après au creux de la main, un soleil pressé. J'ai appelé le garçon. Quand il s'est planté devant moi, je me suis excusée. Il est retourné derrière le bar. Quelle folie m'avait poussée à commander un jus d'oranges « Toi et Moi », celles que j'achetais près des grilles du lycée français de Fès. Anas souriait, en ce temps-là.

J'ai voulu partir. L'heure approchait de ma séance chez l'accordeur. En me redressant, je me suis cogné le genou à la table basse. Dans l'après-midi, c'est l'accoudoir du fauteuil de Magnus Vog que j'avais heurté avec la cuisse. J'ai déjà un gros bleu. Je ne vais pas tarder à voir mon genou noircir et enfler, c'est couru d'avance. J'avais douze ans, la première fois. La mère s'occupait dans sa cuisine. J'étais revenue de l'école en boitillant. Elle m'avait regardée sans un mot. Fièrement j'avais annoncé :

81

« Épanchement de sidonie » ! Le diagnostic venait de l'infirmier en chef du lycée. Je revois la mère hausser les épaules, rectifier : « synovie », et enfoncer une gousse d'ail dans le croupion de son poulet.

J'ai réussi à m'extirper de ma chaise. Un dernier regard en direction de l'Orient. L'accordeur va forcément s'apercevoir que je me suis cognée. Maintenant, je n'ai plus besoin des autres pour recevoir des coups. Je me les donne.

16

Je ferais mieux de penser calmement à ce qui
est arrivé aujourd'hui. C'est le seul moyen de
comprendre pourquoi je me suis traînée chez
l'accordeur, le cou raide, le genou en capilotade.
Depuis ce matin je vis avec le pressentiment de
la chute. Il remonte peut-être à plus loin que ce
matin, mais l'effort pour se souvenir est trop
douloureux, à chaque jour suffit ma peine. Si
mon corps se dérobe, la tête risque de suivre.
L'alerte s'est produite devant la photocopieuse
de l'Institut océanographique. J'avais installé
quelques feuillets, l'explication en français de la
mise en marche du marégraphe de Marseille.
Avec croquis des structures, positionnement
des flotteurs selon les marées, réglage du
cylindre enregistreur entraîné par une horloge.
La Norvège va enfin trouver son point zéro.
Comme chez nous, on verra bientôt des médail-
lons de bronze scellés dans la pierre des mairies,

des églises et des ouvrages d'art, des cimetières aussi. Je pourrai vérifier que je me situe bien au-dessus de la ligne de flottaison. Ce sera facile de savoir, avec le mode d'emploi en français. La machine a craché les photocopies. Je les ai retirées du chariot. Toutes les feuilles étaient restées blanches, sans la moindre trace du document. Une secrétaire passait dans le couloir. Elle m'a dit sur le ton de l'évidence : il n'y a plus de toner. Je ne connais rien au système d'encrage des photocopieuses, mais j'ai senti que cette journée serait placée sous le signe de l'orage. Quand j'ai regagné mon bureau, j'ai heurté l'angle d'un tiroir ouvert avec le haut de ma cuisse. Plus tard chez Magnus Vog, pardon si je me répète, je me suis fait mal au même endroit en cognant l'accoudoir du fauteuil. Il venait de m'avouer qu'en réalité, l'épisode avec Liv Ullmann remontait à plus de dix ans. Il n'avait plus touché ses pinceaux depuis. J'entends encore sa phrase : « J'étais naufragé dans ma vieillesse, vous m'avez porté secours et moi, je voudrais vous porter bonheur. »

La première fois, je ne lui avais pas donné d'âge. Il est de 17, 1917. Longtemps il a eu du succès. On s'arrachait ses toiles. Mais il a fini par ne plus supporter ces veuvages à répétition. Il a cessé de vendre, a continué à peindre pour lui, un peu moins, puis plus du tout. Jusqu'à notre rencontre au café Bryggen. J'ai tenu trois heures immobile dans un fauteuil de métal. Magnus avait monté le chauffage en bourrant son poêle de bûchettes. Il était debout à quelques mètres de moi. L'après-midi entier il a travaillé. Son regard, un regard d'enfant, brillait au milieu de sa face de lune. Quand il a lancé « c'est fini ! », je me suis précipitée. Mon cœur palpitait. Je suis restée sans voix et chancelante sur mes jambes qui déjà me tenaient si peu. La toile était entièrement recouverte d'une couche de blanc sur laquelle je n'apparaissais nulle part, pas même en esquisse. Un sentiment de vide m'a gagnée, comme ce matin devant les feuilles vierges de la photocopieuse. Mon corps n'était rien puisque Magnus Vog n'avait pas réussi à le coucher sur son tableau. J'ai eu beau me crever les yeux, je ne voyais que du blanc, le blanc des pharmacies de Bergen, le blanc de l'oiseau blanc dans la médina, je ne serai jamais qu'un blanc entre les mots des autres, et dans leurs regards. L'angoisse m'a gagnée d'un coup. Un point douloureux sur la poitrine, comme le début d'une crise d'asthme. Le froid, certainement, malgré les efforts bruyants du poêle à bois. Quand je suis au fond de mon lit, j'ai l'impression qu'il n'y a personne. Au réveil, on pourrait croire que je ne m'y suis pas étendue, les draps sont à peine défaits et c'est ma peau qui est froissée, de la tôle de mauvaise bagnole française après un accrochage avec une Volvo break ou un engin de ce genre. Je n'ose jamais étendre tout à fait les jambes, de peur qu'une force inconnue m'attrape les pieds, me tire vers le fond. Si on photocopiait mon lit, on obtiendrait une page blanche, et ce ne serait pas faute de toner. La preuve, sur la toile, après trois heures de pose, Magnus Vog ne m'a pas vue. Pourtant je n'ai pas bougé. J'ai retenu ma respiration le plus longtemps possible. C'est ainsi : après trois heures, on ne voit même pas les chaussons de feutrine qu'il m'a prêtés, rouge sang.

C'est en me rhabillant que je me suis donné un coup au-dessus du genou. Une tache sombre n'a pas tardé à apparaître. Elle a grossi. Des contours jaunâtres se sont formés sur les bords, créant un effet de relief. On aurait dit une éclipse de soleil. Mon corps entier était une éclipse. Magnus n'osait pas me le dire. L'éclipse de Clara Werner. Pendant que je cherchais mes souliers de peau sous une chaise, une pensée encore pire m'a fauchée. Puisque je portais la trace d'un hématome, j'étais sûrement devenue visible. Il fallait que Magnus Vog me peigne sur-le-champ, comme une torche pendant qu'elle se consume.

J'ai hésité à lui parler. Puis je me suis lancée.

« Vous ne m'avez pas vue, pendant tout ce temps ? »

Il se montra surpris.

« Je n'ai vu que vous, Clara. C'est merveilleux.

– Mais la toile...

– Oui... J'ai seulement préparé le fond en m'imprégnant de vos lignes. Mais n'ayez crainte, vous êtes là, fit-il en désignant son front, et là (il montra sa main droite). Je n'ai pas l'habitude de représenter un modèle en sa présence. C'est une question de politesse, ou de pudeur. La main se charge de toute l'émotion contenue dans l'œil. Je vais vous peindre dès que vous serez partie, la fidélité du trait est à ce prix. D'abord voir, ensuite concevoir. Lorsque vous reviendrez demain, parce que vous reviendrez, n'est-ce pas ?, je vous aurai "développée". Je suivrai selon les pointillés de ma mémoire. Soyez tranquille, vous êtes inoubliable. »

Je suis partie chancelante, rassurée, effrayée, me pinçant le bras si fort qu'un autre bleu surgit, le genou prêt à me fausser compagnie. La pluie avait un goût de ciguë, j'allais sûrement tomber. La gravure de l'Orient-Express, au Bors Kafé, m'a redonné des couleurs. L'Orient brillait en lettres de feu. Le Tanger-Rabat-Casablanca a bifurqué, j'ai gagné Fès, une petite éminence sur le contrefort de l'Atlas. Comme toujours je détalais à travers la médina, des mains me tendaient des soieries, essayaient de me retenir, des ombres voilées glissaient, je m'abreuvais aux fontaines ornées de zelliges, on m'offrait à mâcher de la gomme opaline, les dinandiers martelaient le cuivre, une odeur entêtante de cèdre me poursuivait, les marchandes de mandragore agitaient devant moi leurs plantes maléfiques. Je finissais par trébucher. Je me relevais boitillante, les chevilles en feu.

J'ai sonné chez l'accordeur. Je me suis redressée, mais après quelques pas, le genou a flanché. Je m'y attendais depuis le matin, cette affaire de toner ne présageait rien de bon, j'ai plié, je me suis retrouvée à plat ventre sur le carrelage froid de son couloir, avec la sensation qu'une corde était sortie de la gorge d'une poulie. Cette fois, j'étais vraiment déjantée. Une vive douleur au sommet du dos m'a laissée impuissante et vaincue. Les mains de l'accordeur m'ont littéralement décollée du sol. J'ai atterri sur son lit de massage. Il m'a déplacée doucement sur le ventre. S'est abstenu de me toucher. A senti que je le voulais dans mon champ de vision. Il a tiré un tabouret devant moi, s'est assis. Un sourire éclairait son visage mais il continuait de poser sur moi son inflexible regard médical. Il a dit : « Petite leçon d'anatomie. Atlas, première vertèbre du cou, support de la tête. » J'ai senti un doigt, juste un doigt, appuyer dans cette région. Je n'ai pu retenir une grimace.

« Vous souffrez de l'atlas, mademoiselle. Il serait temps de déposer votre fardeau. »

J'ai répondu : « Atlas, chaîne montagneuse du Maroc », deux larmes ont roulé sur mes joues, de la neige fondue, un peu d'éternité.

« Enfin », a-t-il murmuré.

17

Clara Werner n'est pas tombée. Elle a chaviré.
Quand je lui ai ouvert ma porte, j'ai vu qu'elle
s'efforçait de tenir droit. Elle est entrée, m'a
donné une poignée de main vigoureuse, puis
elle est passée devant moi. J'ai observé sa
démarche, le pas portant, le pas oscillant, les
pieds refusant le sol, le corps verrouillé par un
réflexe de défense, la peur de l'obstacle invisible, la peur d'une peur ancienne. Pour être
aussi tendu, il faut craindre la chute. Je connais
cette appréhension chez les patients juste libérés
d'un plâtre. Ils renouent soudain avec la gravité,
redoutent ce retour à la normale. L'instinct de
l'être humain est vertical. Allongé, il entrevoit
sa fin. Clara Werner, en pénétrant dans mon
cabinet, n'avait plus la certitude absolue d'être
vivante. Ce n'est pas son genou qui a lâché, ni
son dos. C'est sa confiance. Elle a bien fait de
sonner. Un accordeur de corps n'est rien s'il

n'accorde aussi sa confiance à ceux qui l'ont perdue. Je ne suis pas sûr de pouvoir la masser. Il est encore trop tôt. Même étendue, elle reste sur ses gardes, ne me quitte pas du regard. J'examine son corps enguirlandé de bleus, à la recherche d'une entame, de l'amorce. Mon œil se promène au-dessus du grand dorsal, des trapèzes. Les fosses poplitées sont anormalement creuses, les muscles à l'état de galettes. Respirer provoque chez Clara une gêne costale. Un peu de gel d'arnica la soulagerait. Une scoliose sévère serpente au bas de ses reins. Je me demande qui le premier a touché ce corps, et quand, la dernière fois ? Les marques lisibles viennent des caresses refusées autant que des coups assenés. Qui n'a pas voulu ? Qui a voulu trop fort ? Par endroits la peau se desquame. Ailleurs elle ressemble à la surface grumeleuse d'une orange.

J'ai retourné Clara sur le dos en prenant mille précautions. Elle a gémi. Je reprends mon inspection. Le grand pectoral, la ceinture pelvienne, la région inguinale. Le sautillement des abdominaux, sur le ventre froid comme un reproche. Elle est en pleine crise d'angor. Je n'ai pas besoin d'entendre sa voix pour deviner. Sa poitrine pèse des tonnes, toute son angoisse est tombée sur le plexus. À chaque prise d'air, ses narines frémissent exagérément. J'ai placé sous son nez un petit miroir de maquillage. Un gros papillon de buée s'est formé, avec une aile plus prononcée à droite. L'un de ses poumons ne ventile pas assez, elle oublie qu'il faut respirer pour vivre, Clara, et expirer, aussi. Je n'ose pas lui dire d'expirer ; se méfier des mots, avec elle, préférer l'œil. Un genou s'est déboîté. Il avance à faire peur sur la margelle du tibia. La rotule se balade comme la tête d'un condamné au garrot. Seule la peau retient l'os perdu. Une peau de chagrin, un corps souffre-douleur.

Sait-elle encore qui elle est, cette jeune femme de vingt-trois ans ? Il faudrait l'aider à retrouver sa propre image, une image dans laquelle Clara Werner pourrait se reconnaître. La reconnaissance des corps est plus utile aux vivants qu'aux morts. Comment faire sans le travail des mains ? Même à main nue, sans talc ni onguent, à la rigueur une noix de ce *latte per il corpo* que j'ai rapporté d'un voyage en Italie pour fouetter les membres *senza vigore*, je suis convaincu que je pourrais la conduire à l'intérieur de ses frontières intimes. La rassembler pour qu'enfin elle puisse se ressembler. Être soi est une souffrance avant d'être une victoire. Et un plaisir. Le plaisir, elle a dû oublier. Ou ne jamais connaître. Je sais pourtant la magie des mains. Là où la parole s'arrête et s'épuise, seul passe le courant d'une peau à l'autre.

De nouveau je l'ai installée sur le ventre. En soulevant ses cheveux, je peux détailler sa nuque blanche. La main gauche me démange. Ces derniers jours, je l'ai exercée sur des corps dociles. J'ai pressé le peaucier du cou, entre le pouce et l'index, d'une patiente qui consultait déjà du temps de mon père. Elle prétend que j'ai hérité de ses dons. C'est un grand apaisement de la manipuler. Elle s'abandonne sans réticence, les yeux fermés, se fait lourde sur parole, ne résiste pas quand, d'un claquement sec, je règle par surprise l'articulation d'une épaule ou l'accordéon vertébral. J'ai déjà beaucoup réfléchi aux gestes qui soulageraient le cou de Clara, sa colonne, ses reins. Mais je m'abstiens de les accomplir sur quiconque, même sur cette patiente qui m'est acquise de longue main. Ces gestes, je les dois à Clara et à elle seule. Ils seront ajustés à sa souffrance.

L'année des jeux Olympiques de Lillehammer, nous avions reçu à Bergen le célèbre Arthur Rubinstein. Je n'avais pas eu la chance de pouvoir aller l'écouter. Je sentais proche la fin de mon père et je passais le plus clair de mon temps auprès de lui. Nous avions suivi ensemble la retransmission radiodiffusée du concert. Rubinstein avait interprété plusieurs morceaux de Grieg avec une légèreté qui nous était apparue inégalée. Le lendemain, dans une interview à la presse, le vieux maître avouait qu'il n'avait jamais joué ces partitions en entier avant le soir du spectacle. « Il faut garder jusqu'au dernier instant l'émotion et l'attente de la nouveauté, le frémissement qui naît sous les doigts avec l'imprévu. » J'avais lu ces propos à mon père. Il m'avait demandé de les lui relire lentement. Puis il m'avait fait signe d'arrêter. « Rubinstein aurait été un excellent accordeur », avait-il conclu avec respect. J'ai retenu la leçon. Devant le clavier humain, je suis toujours un enfant. Jamais je n'ai eu sous les yeux une partition aussi complexe et délicate que la membrure de Clara Werner. Son corps mérite de l'inédit, un mouvement singulier pour main seule, une main qui improvise, une main qui apprivoise.

18

Je suis allongée sur le ventre, le front appuyé sur un coussin de mousse. L'accordeur a écarté mes cheveux. Je l'ai vu attraper des balles de tennis, tout à l'heure. Maintenant j'essaie de deviner ses gestes. Il faudrait que j'arrête de penser. Alors je pourrais me détendre. Mais quand je suis dans cette position, j'imagine ce qui m'arriverait si je me retrouvais à Fès, à Dublin. Il a fait rebondir les balles de tennis. Je revois le geste d'Anas, j'adorais le regarder jouer. Il avait un revers époustouflant, le coup partait très vite, on avait à peine le temps de voir le bras s'armer. C'est comme ça aussi qu'il m'envoyait des baffes sifflantes, avec le dos de la main. Il gagnait toujours, à ce jeu. J'allais et venais dans la maison, il me laissait approcher. Je me demande s'il s'entraînait à me gifler pour mieux jouer au tennis. Ou l'inverse.

L'accordeur a choisi une balle neuve. Elle n'est pas encore ébarbée. Il dit que le contact avec ma peau sera plus agréable. D'une voix rassurante, il m'explique ce qu'il va faire. Il essaie. Je ne peux m'empêcher de penser : balle neuve, comme dans les grands matchs, c'est le moment où le joueur au service peut cogner plus fort. Je décompose le mouvement. Cogner. Plus fort. L'accordeur est au service. Il faudrait vraiment que j'arrête de penser. Sinon je vais m'embarquer dans un faux mouvement de l'esprit. Vous avez deviné ? C'est obsédant, un jeu d'enfant, rien de plus simple. Une voix intérieure me souffle : sévice gagnant. Facile. Mon corps aussi a ses raisons. La balle roule maintenant dans mon cou, puis descend lentement. À vrai dire, ça fait un peu mal, car il appuie aussi. Si je me laisse faire, si j'accepte une fraction de seconde l'idée que je ne risque rien, alors il se produit une sensation fugace, une sorte d'éblouissement. La conscience d'une source de bien-être, quelque part sur ma peau. Mais où ? Je manque de repères. Aussitôt les tensions reprennent le dessus, ne pas s'exposer, ne pas baisser la garde. C'est toujours dans les moments d'abandon que les coups redoublent.

L'accordeur veille à ne pas poser ses mains sur moi. Il reste silencieux. Les balles vont et viennent. Pour la première fois leur contact me chatouille très légèrement. Si l'accordeur parle, il se limite à m'indiquer sa position. « Je longe vos lombaires. J'approche de la région sacrée. » Il n'imagine pas l'effet de ces mots sur moi. Une région sacrée sur le corps de Clara Werner ! La mère le savait-elle ? et Anas ? Si c'est sacré, on ne touche pas. Ils m'ont fait tellement de mal avec leur religion, les curés qui confessaient la mère, et les Boul Bachir de Fès toujours courbés sur leurs tapis de prière, dans la position de leurs servantes qu'ils sodomisaient. « J'approche de la région sacrée. » Que distingue-t-il, l'accordeur, dans son survol ? Impossible d'atterrir, vu l'état de la piste. Cabossée, gondolée, en zigzag. Qu'il n'y risque pas ses doigts, il les écorcherait. Sur mon dos galopent des chevaux de frise. À Bergen l'hiver, mon corps n'est pas très sûr, un halo de brouillard le rend insaisissable. Même Magnus Vog n'y arrive pas. Comme si j'allais gober son histoire de modèle qu'il peint de mémoire. L'accordeur me parle des Vikings sur leurs drakkars. Il ne s'était jamais laissé aller à parler autant. Je crois qu'il est question de son père. Autrefois, dit-il, les Vikings embarquaient des familles entières de corbeaux qu'ils lâchaient en haute mer. Il leur suffisait de suivre cette trace noire au-dessus des vagues pour retrouver la terre ferme. Grâce aux corbeaux, les marins du Nord s'étaient assuré une vision lointaine et la vie sauve. L'accordeur

97

répète ce que lui a appris son père : « Fais de chacun de tes doigts un oiseau. » En l'écoutant, je ne vois pas de corbeaux mais des oiseaux blancs. J'aimerais bien qu'un jour ils se mettent à parler mon langage pour m'indiquer le chemin qui mène à Clara Werner, je n'ai pas dit Clara épouse Marouni. Comment continuer à vivre dans la peau d'une femme qui n'est plus moi ?

19

Comme tous les samedis, Olav m'a accompagnée à l'aéroport. Je me suis dirigée vers le grand salon panoramique. J'ai voulu monter les marches de l'escalator pour vérifier que mes genoux tenaient bon. L'accordeur a su les réparer d'un coup sec, comme on dégage un tiroir bloqué. Le garçon m'a aussitôt reconnue. Il m'a apporté une bière Hansa, un verre d'aquavit glacé et deux petits sandwiches de pain de mie fourrés au saumon. Le ciel était floconneux. Le ballet des avions en attente semblait particulièrement lent. Un petit groupe d'hommes est venu s'asseoir à la table derrrière moi. Je n'ai pas prêté l'oreille à leur conversation. Leurs voix m'ont suffi, et les intonations. Au bout d'une minute, j'étais pétrifiée. Le garçon a dû voir à mon visage qu'il se passait quelque chose, car j'ai senti mon sang se vider. Impossible de trouver la force de me dresser sur mes jambes et de courir n'importe où. J'entendais distinctement leurs voix. Venaient-ils de Mascate, du golfe Persique, d'Algérie ? Leur babil ne ressemblait pas à celui des Marocains, mais leur langue de gorge m'atteignit comme un crachat. Je n'ai pas cherché à comprendre ce qu'ils disaient. Sans doute parlaient-ils de pétrole, d'intrigues ou de femmes, rien d'autre ne les intéresse. Je connais par cœur. Inutile de me la jouer avec des poses de circonstance.

J'ai réussi à lever la main en direction du serveur. Un autre aquavit. Pas de sandwich. Évitez de vous méprendre. Je suis saine. Je suis très saine. Une fille des montagnes élevée au grand air. L'accordeur a certainement remarqué ma musculature de skieuse. Enfant, j'ai eu tous mes chamois. C'est après que j'ai dégringolé tout en bas. Mais j'ai mon idée pour reprendre le dessus. Seule. C'est ça : seule. Voilà ma devise. Que font-ils dans mon dos, ces Arabes ? Inutile de me tordre le cou pour regarder. Je pourrais les décrire les yeux fermés. Les Ray-Ban, la cravate à épingle, la bague en or et, à l'intérieur de la veste de costume, un portefeuille en cuir rempli d'une liasse de dollars neufs tenus par un onglet caressant la joue de George Washington. Cette langue épouvantable. On dirait qu'ils vont vomir. Bien sûr, c'est sur moi qu'elle retombe, l'envie de vomir. À la télévision, c'est plus fort que tout, je zappe quand j'entends les princes du raï, je ferais sauter une par une les dents de Khaled. Vite une chaîne animalière, des interludes, les fjords éternels, le folklore de Norvège. De l'aquavit. Mais, par pitié, pas un chanteur de là-bas. Forcément, je me souviens d'un autre aéroport, Casablanca, j'arrivais d'Aix-en-Provence. Anas m'avait téléphoné la veille à l'appartement des parents, place des Quarts-d'Heure. « Si tu veux qu'on se marie, je te donne trois jours. » Le père était à Blida, la mère dans une énième cure de repos à une brique la semaine, avec tisanes infâmes et peignoirs éponge. Il m'avait parlé en français. Je l'ai imaginé, sa beauté, son sourire étincelant. « Je te donne trois jours », une demande en mariage, dans ma langue, j'ai accouru ventre à terre comme une petite amoureuse. À l'aéroport de Casa, il m'attendait avec sa mère. Accueil distant. Et pas un mot en français. D'emblée cette langue de gorge pour s'adresser à moi, c'est-à-dire pour m'ignorer. Il aurait eu tort d'y mettre du sien, je m'étais rendue. Méprisables, ces Blanches qui viennent quand on les sonne. Dans l'auto jusqu'à Fès, le fils et la mère, tous les deux à l'avant, conversant en arabe. Je suis derrière, muette, je ne comprends rien à ce qu'ils racontent, ça parle fort, Anas parle comme il frappe. Parfois il se retourne et me lance un sourire de victoire, ses yeux sont froids. Elle est très forte, la Zoubida. Elle a tout manigancé. Je fais l'erreur de ma vie, mais comment résister aux foules hurlantes ? Elle a sûrement arrangé le coup avec une de ces vieilles marchandes de mandragore, la médina en est remplie. Quand elle ne persécute pas ses servantes pour obtenir à la seconde un café maure ou un bâton de khôl, elle passe des après-midi entiers chez les sorcières aux herbes maléfiques. Anas se moque d'elle. Pas moi.

Ôtez-vous de la tête que je bois trop. Cette femme m'a envoûtée. Je suis venue me jeter dans la gueule du loup sur son ordre. Il n'était pas question d'amour, c'était beaucoup plus grave. Anas suscitait la passion comme une plante vénéneuse provoque la mort. Souvent je pense aux racines de mandragore, à leur forme vaguement humaine. Les vieilles de la médina me tiraient par la main pour m'obliger à les respirer. Je me souviens de leurs cris, des youyous aigus, de leurs rires effrayants et grossiers.

J'ai fini par trouver la force de m'arracher à mon siège. Me voici courant à toutes jambes à travers le hall de l'aérogare, pourvu que mes genoux ne flanchent pas. Des images se bousculent, les venelles de Fès, le ghetto juif du Mellah où je trouvais refuge pour échapper à la surveillance du clan des Boul Bachir, et toujours ces femmes qui crient dans mes oreilles.

Dehors, je me suis mise dans la file pour les taxis. Olav n'était pas revenu. D'habitude, je repars beaucoup plus tard, après le décollage du Bergen-Buenos Aires. Tant pis, je ne veux plus attendre ici. Une Volvo rouge s'est rangée à ma hauteur. « Kong Oscars Gate ? » Le chauffeur m'a fait signe de monter. Magnus Vog sera surpris de me voir. Je lui avais dit que je viendrais seulement dimanche après-midi.

Il a laissé une lumière allumée dans la serre aux pauwlonias. Je comprends maintenant son petit secret pour obtenir de si belles fleurs au plus profond de l'hiver. Des soleils artificiels, il fallait y penser. Dans sa maison, en revanche, c'est le noir absolu. La porte n'est pas fermée à clé. Le poêle est froid. Je soupçonne Magnus de ne l'allumer qu'en ma présence. J'ai appelé, il a dû sortir boire un coup au café Bryggen, c'est son heure. Il est comme moi, il n'aime pas voir la nuit tomber. J'ai tourné l'interrupteur. Je sais que Magnus Vog a peint six toiles depuis que je pose pour lui. Je n'en ai encore vu aucune. Il a décidé qu'il ne me montrerait rien avant d'avoir terminé une série complète avec toutes ses visions, comme il dit. Je n'ai pas insisté. Sur le fauteuil où je m'assois souvent trône un tableau tout en hauteur. Je ne devrais pas approcher. J'ai reconnu le fond blanc, celui de la première fois, quand il a passé son après-midi à m'observer. Maintenant, une forme sombre est représentée. Je sens un étau dans ma poitrine. J'avance toujours. Pas de doute, c'est moi. Une sorte de liane les membres pareils à des radicelles gonflées de sang. Une mandragore.

20

Mardi, Clara Werner n'est pas venue à son rendez-vous. Je l'ai attendue jusqu'à huit heures du soir, puis j'ai fermé le cabinet. D'habitude, elle appelle pour m'avertir d'un retard. Cette fois, le téléphone n'a pas sonné. Elle n'a pas pu oublier. C'est devenu un rituel entre nous, ces moments où elle s'allonge sans que je la touche, ou seulement du bout des doigts, en la prévenant de mes moindres gestes. J'ai rangé sans hâte la salle de soins, changé le drap de papier sur le lit de massage. Pour lui laisser encore un petit délai, j'ai joué un moment avec le *mede-cine-ball*, assis par terre à guetter sa silhouette dans la perspective de la fenêtre. Je n'étais pas pressé de partir. Comme si je n'y croyais pas, je suis même revenu au cabinet dix minutes après avoir tout éteint. À neuf heures, j'ai compris qu'il était inutile de rester plus longtemps. Elle ne viendrait pas. Machinalement, j'ai marché jusqu'au café Bryggen où je l'avais aperçue l'autre soir en compagnie de Magnus Vog. Plusieurs fois j'ai eu envie de la questionner à ce sujet. J'ai su par un écho dans la presse que notre peintre s'était remis au travail grâce à la présence d'une jeune Française dont le nom n'était pas mentionné. Je me demande si elle pose nue pour lui. Cela ne m'est pas indifférent. J'essaie de comprendre pourquoi ce qu'elle semble consentir à son regard d'artiste, elle me le refuse. Aucun sentiment n'est en jeu. Mais comment guérir Clara Werner si elle rejette les instruments de ma médecine ? Lors de sa dernière visite, je lui ai tendu mes mains en prononçant ce mot, placebo. Elle était assise au bord du lit de massage, les jambes ballantes. Je venais de réparer ses genoux, réparation provisoire, elle était soulagée, presque détendue. Je revois pourtant son regard méfiant, ses lèvres répétant « placebo » et son air de ne rien comprendre. « Oui, ai-je repris. Petite leçon de latin, très courte. *Placebo*, je plairai. J'aimerais tellement qu'elles finissent par vous plaire, mes mains. Ce sont les seuls arguments en ma possession pour vous faire du bien. »

Elle a détourné son visage d'un mouvement brusque, et en bougeant la tête, ça n'a pas manqué, elle s'est un peu démis le cou, à l'endroit précis où, quelques minutes plus tôt, j'avais fait rouler mes balles de tennis. Elle a grimacé, comme découragée. Je lui ai proposé de s'étendre de nouveau sur le ventre, la vertèbre récalcitrante était facile à repérer. L'atlas, toujours. Elle m'a dit non. Je ne savais plus que faire avec mes mains, alors je me suis mis à parler du massage des enfants. Ce n'était pas innocent. Je voulais que vienne à elle l'envie de mes mains, et l'assurance qu'elles étaient inoffensives. Il ne s'agissait pas de caresses. Je m'entends encore lui raconter cet épisode lointain de ma vie en Éthiopie. J'étais parti au service de la Croix-Rouge dans les régions du nord. Quel que soit le pays, un Norvégien se sent toujours chez lui, au nord. Les enfants pleuraient du matin au soir, la faim ne les lâchait jamais. En désespoir de cause, les mères posaient leurs mains aux doigts interminables, maigres et décharnés sur leurs ventres exorbités. Et, comme par miracle, les sanglots cessaient. Pendant les neuf mois de mon séjour, j'ai passé des journées entières à masser ces petits corps souffrants et difformes sous la surveillance immobile de regards fiévreux agrandis par la faim. Mes mains ne leur donnaient pas à manger. Cependant, ils semblaient ressentir un début de satiété. Une onde passait entre nous, une douceur, de l'énergie, la force contenue de mes paumes, ma ligne de vie sur leurs destins brisés. Quand j'ai eu fini de raconter cette histoire, nous n'avons plus rien dit. Clara Werner m'a seulement demandé en quelle année j'étais remonté vers le pôle mort. Je n'ai pas rectifié, ni pour « mort », ni pour lui rappeler que Bergen, ce n'est pas si haut que le pôle. Pour une Française qui souffre de l'atlas, on atteint sûrement le pôle dès la Méditerranée franchie. Elle a filé dans la nuit. Sous les lampadaires de la rue, j'ai vu qu'elle ouvrait grand la bouche pour y laisser fondre les flocons de neige qui habillaient la pluie.

J'ai interrogé le barman du café Bryggen. La dernière fois qu'il a aperçu Magnus Vog, c'était samedi. La jeune femme avec lui ? Il a secoué la tête. Non, ça ne lui disait rien. À moins qu'elle soit passée aussi samedi, il n'était pas très sûr. Je suis ressorti et j'ai remonté les quais sans but précis. L'Express-côtier doit partir bientôt pour le cap Nord. Des marins en bordée chantent en zigzaguant. Dieu est vraiment du côté des ivrognes. Ils frôlent dangereusement le parapet mais pas un n'est tombé à l'eau. Plus loin devant, une forme humaine avance seule à leur rencontre. Encore une victime de l'aquavit. Son pas décrit de grands demi-cercles, oscille, boitille, se rattrape à je ne sais quelle rampe invisible. Je m'apprêtais à lui porter secours lorsque j'ai reconnu l'anorak en laine polaire de Clara, ses bottines fluo. Elle aussi, malgré son état second, m'a reconnu.

Ostensiblement elle a rejoint en hâte les hommes éméchés. Elle a pris place au milieu de leur groupe qui avançait comme un pack irlandais avant l'assaut. Ils l'ont accueillie par des hurlements de joie, je l'ai entendue qui riait à son tour. Elle a même incité ses compagnons d'ivresse à faire demi-tour. C'est ainsi qu'ils sont passés devant moi, épaule contre épaule, en gueulant de plus belle. Clara a détourné ses yeux. Des yeux agrandis comme ceux de mes petits mourants d'Éthiopie. J'ai lu la faim dans ces pupilles dilatées qui me disaient « ôte tes mains de là ». Elle a poursuivi son chemin d'égarée au milieu des matelots, ses poignets de cristal serrés dans leurs doigts grossiers, le corps raidi d'un pantin mécanique, seule comme on n'a pas idée.

21

Le directeur de l'Institut océanographique a demandé à me voir. Je me suis précipitée dans son bureau. Sa secrétaire ne m'avait pas donné le motif de cette convocation. Le temps que l'ascenseur monte jusqu'au cinquième étage, je me suis imaginé le pire, qu'on ne voulait plus de moi, que mon poste serait bientôt supprimé, qu'on m'avait aperçue l'autre soir traînant avec la mort, sur le port de Bergen. Je sentais le sang cogner à mes tempes et mes jambes ne demandaient qu'à se défiler. Pourtant, il faut me croire, je n'ai pas bu une goutte d'alcool. Le matin, je suis toujours impeccable, vous pouvez me demander de jurer les bras tendus, mains bien droites, rien ne tremble, le matin. Un peu de citron dans les yeux pour qu'ils brillent, de l'anticernes, un parfum léger. C'est le soir qui me terrifie. L'approche de l'enfermement. Par chance, je sais tout ce que je dois éviter : porter un pull ras du cou, séquelle du coupe-papier pointé à la naissance de ma gorge. Pas question non plus de travailler les portes ou les fenêtres fermées. Tant pis pour le froid. J'espère sans cesse le retour d'un chat perdu à caresser. J'ai aussi débarrassé mon bureau de toutes les bouteilles vides qui contiennent un minuscule drakkar sculpté. Dans mes mauvais rêves, il m'arrive d'être ce drakkar prisonnier d'un goulot. À la place, j'ai mis des bouquets de fleurs séchées, les pauwlonias de chez Magnus Vog, des petites fleurs de rien semblables à celles que j'avais cueillies pour la mère, autrefois.

Le directeur m'a reçue avec un sourire radieux. Il a pris de mes nouvelles. On veut donc encore de moi. J'ai un peu chancelé. Il m'a fait signe de m'asseoir. Ça tombait bien.

« Mademoiselle Clara, vous savez combien me préoccupe la question du niveau zéro de la mer. Il faut tirer cette affaire au clair une bonne fois. »

Il continue de parler, mais je viens d'entendre Anas, il me demande encore pourquoi je n'étais pas vierge à quinze ans. « Il faut tirer cette affaire au clair. » Au lycée français, Souad lui tournait autour. Souad, elle couchait. Pas moi. J'ai résisté jusqu'au printemps. Il le savait bien que personne n'était entré, avant. Mais le premier sang, cet hymen, qui l'avait pris ?

111

« Mademoiselle Clara, vous m'écoutez ?

– Oui, monsieur.

– Je vais vous lire un passage de *Vingt Mille Lieues sous les mers*. Soyez attentive, ce n'est pas long mais diablement précieux pour nous autres. "Les eaux resserrées entre les îles Féroé et Lofoten sont précipitées avec une irrésistible violence. Elles forment un tourbillon dont aucun navire n'a jamais pu sortir. De tous les points de l'horizon accourent des lames monstrueuses. Un gouffre apparaît, justement appelé le nombril de l'océan. Là sont aspirés non seulement les navires mais les baleines, et aussi les ours blancs des régions polaires". »

Quand il a eu terminé, il a refermé son livre. À Dublin, j'avais le même. Je revois la couverture rouge des *Voyages extraordinaires* de chez Hetzel flottant déchiquetée sur le parquet ciré. Il faut en avoir, de la rage, pour venir à bout de ces couvertures cartonnées. La Zoubida de malheur nous disait que nous avions l'âge de mordre la vie à pleines dents. Sûrement, Anas y avait-il mis ses crocs blancs dont il déguisait ses sourires, ses dents de petite frappe, magnifiques, parfaites. Je me souviens qu'en voulant ramasser quelques débris de ce massacre, j'étais tombée sur une phrase intacte mais froissée, drôlement échouée au milieu d'un chapitre de *Vingt Mille Lieues sous les mers*. Elle était tirée, je devrais dire arrachée, d'un volume d'Henri Calet perdu dans ce naufrage. Elle disait, si ma mémoire est bonne, « ne me secouez pas, je suis plein de larmes ». Depuis ce jour, je n'en ai plus versé une seule. À vingt ans, j'étais une jeune femme à bout de larmes. L'accordeur doit me trouver bien sèche.

« Clara, poursuit le directeur de l'Institut, maintenant que le marégraphe de Marseille fonctionne à merveille, et j'ajoute grâce à vous, j'aimerais beaucoup que vous alliez vous-même vérifier cette histoire de nombril de l'océan, du côté des Lofoten, après tout, la paternité en revient à l'un de vos illustres compatriotes ! Nos équipes sur place nous signalent régulièrement des disparitions de bateaux. La surveillance des cétacés révèle une diminution inexplicable des peuplements. On ne peut pas mettre cette hémorragie sur le compte des croiseurs russes. Nos relevés, malheureusement très peu fiables, laissent penser que l'océan baisse, et ce malgré la fonte régulière des glaces. C'est tout de même inquiétant, cet écoulement mystérieux, vous ne pensez pas ?

– En effet, monsieur. »

« Tirer cette affaire au clair. » Me revient la vision de ce premier sang entre les jambes. Quel âge ? Vous ne retenez donc pas ce que je dis : je ne peux rien dater. Onze ans, onze ans et demi.

Après l'épisode des fleurs fanées sur l'évier ? Non, avant. Un écoulement mystérieux. J'ai accouru dans la cuisine. La mère est en pleine vaisselle. À l'eau froide, pour économiser. Des gants de caoutchouc aux mains. Elle a jeté un regard sur moi. Froid aussi, l'amour, ça s'économise pareil. Une gamine de onze ans, onze ans et demi qui saigne sous la jupe, pas de quoi faire attendre les verres Duralex. Elle dit : va dans la salle de bains. Tu trouveras des tampons Ob. Un o et un b, tu sais l'alphabet, à ton âge ? Alors, la notice à l'intérieur, tu la déplies, tu lis et tu t'en mets un. Dépêche-toi, tu vas tacher tes habits. J'ai obéi. Lu la notice de travers. Enfoncé l'obus tout droit, trop fort, profond. J'ai crié, ça faisait mal, ça faisait très mal, la mère. Là, j'ai hurlé. Du sang s'est de nouveau écoulé. Plus tard, dans les nuits de Dublin, j'ai compris ma douleur. Ma douleur de petite fille qui s'était déflorée toute seule, un obus entre les doigts, un obus maternel. La mère n'a rien vu, rien su, elle ne m'a même pas touchée avec ses mains gantées de latex rose. Je les aurais bien mordues, ces mains froides. Pour voir si elle aussi avait du sang. Longtemps j'ai cru que dans ses veines coulait surtout du plomb fondu, ou du venin. Tu vois, Anas mon amour, je ne t'avais pas trahi.

« L'Express-côtier partira la semaine prochaine pour Kirkeness, à la frontière russe. Préparez vos affaires, Clara. Trente-cinq ports de Norvège, onze jours de voyage, ça vous fera grand bien. Avec un peu de chance, vous trouverez le printemps, tout là-haut. »

Une expression de joie a illuminé son visage lorsque j'ai dit un peu crânement : j'accepte.

« Parfait. Il reste une formalité à remplir, trois fois rien, et surtout que cela ne vous impressionne pas. Nos techniciens envoyés en mission doivent contracter une assurance spéciale qui protège leurs ayants droit en cas de pépin. Je peux vous certifier qu'il n'est jamais rien arrivé à personne sur la route du cap Nord, si j'exclus les bronchites pour les forcenés des bains de minuit au pôle magnétique. J'ai fait sortir votre dossier. Je vois que vous êtes mariée avec M. Anas Mar...

– Séparée.

– Pas divorcée ?

– Non. »

Il a senti mon hésitation. Mais je ne tenais pas à lui en dire davantage. Ma vie venait de me rattraper sur un port de Norvège au moment de fuir le corps de Clara Werner épouse Marouni. À cet instant, j'aurais aimé qu'une main secourable vienne m'achever, comme l'espèrent les victimes du mal de mer. Un coup dans la nuque et puis plus rien, plus de cette saloperie de tangage dont sont faites les existences estropiées.

Une barre verticale divisa le front du directeur de l'Institut.

« Dans ce cas, M. Marouni est légalement votre ayant droit direct. Puisque vous n'avez pas eu d'enfant, c'est bien ça, je ne me trompe pas ? Bon, dans ce cas, ce sont votre époux et vos parents qui... »

Je n'étais plus là. Je courais au fin fond de la médina, poursuivie par des femmes voilées, des marchandes de mandragore. J'ai perdu connaissance au moment où le directeur notait pour la forme qu'en cas de décès – mais ne craignez rien, Clara (il avait laissé tomber le « mademoiselle ») –, la prime d'assurance consentie à mes proches s'élèverait à dix millions de couronnes. Une seule m'aurait suffi, avec des fleurs.

22

C'est Vuk Langstrom qui m'a téléphoné.
« On a besoin de vous à l'Institut. » Il n'a pas
prononcé le nom de Clara, j'avais deviné. Je suis
venu aussi vite que possible. La neige tombait,
on roulait très mal à Bergen. Vuk m'attendait au
pied du grand escalier. Il m'a conduit à l'infir-
merie. Elle était étendue sur un lit de repos et
semblait dormir. J'ai demandé qu'on nous lais-
sât seuls puis j'ai monté le chauffage à son maximum. Son souffle était comme entravé par un
poids invisible. Lorsqu'il s'est mis à faire chaud
dans la pièce, je l'ai déshabillée. J'ai enlevé ses
bas l'un après l'autre, sa jupe en lamé, abaissé sa
culotte jusqu'aux épines du bassin, ôté son chemisier, son soutien-gorge qui la serrait. Quand
elle fut devant moi entièrement nue, je n'ai pas
touché sa peau tout de suite. Je l'ai d'abord
regardée un long moment en retenant ma respiration, pas trop longtemps car les radiateurs

donnaient maintenant leur plein régime. Dans ce faux sommeil de l'évanouissement, son corps restait sur ses gardes, les muscles en torsade, les pieds tendus comme si elle essayait en vain d'atteindre le sol qui se dérobait. Même sa bouche était un peu déformée.

En quittant mon cabinet, j'avais pris un flacon de baume tranquille. Je l'ai sorti de ma poche et j'ai dévissé le bouchon. Une odeur suave s'est échappée, un parfum anachronique rappelant l'existence des étés, loin d'ici. J'ai rempli de liquide le creux de ma main. Au moment d'étendre mes paumes ouvertes sur son ventre, une terrible sensation m'a gagné. À son corps défendant, elle était entre mes mains, les bras sagement dépliés comme les éperons d'une ancolie. Dans cette posture d'abandon, les séismes et les tourments à fleur de peau, jamais elle ne m'était apparue si faible et fragile. Un filet de sueur a dégouliné sur mon front, que j'ai essuyé d'un revers de poignet. M'obsédait la crainte de lui faire mal, moi qui m'étais tant vanté de mes mains, qui les avait tant mises en avant au fil des mots, faute de pouvoir les déplacer librement sur ce territoire conquis sans gloire ni assentiment. Ma pensée est allée vers Magnus Vog. Par où commençait-il pour saisir Clara Werner dans son faisceau de couleurs ? Utilisait-il un rose tendre ou du blanc

118

d'Espagne, elle était si pâle ? Au début, j'avais éprouvé de l'irritation à la savoir nue sous l'œil du vieil artiste. Sans doute avait-elle deviné ma contrariété. Un soir elle m'avait dit : « Si je m'accorde avec Magnus Vog, c'est que nos âges ne s'accordent pas. Il ne peut rien m'arriver, avec lui. » Mais avec moi non plus, il ne pouvait rien lui arriver. J'aurais pu être son père. Je continuais de m'interroger sur les raisons qui la poussaient à changer de trottoir lorsque, certains soirs, nos chemins se croisaient dans une rue de Bergen. Faisait-elle de même avec Magnus Vog ?

Me voici à l'instant de vérité. Chaque corps est un résumé du monde. Le temps lui passe dessus, dépose ses marques. Il apprend la vie, c'est le mouvement, puis se déprend d'elle, s'accommode de regarder les autres exister. Je connais cette étrange passation du flambeau depuis mes visites d'adolescent intrigué dans la maison des corps brisés. Mais il me suffit de prendre les hommes en flagrant délit d'espérance sur les quais de Bergen, assis dans un pliant à loucher des heures devant la mer, un chien aux pieds, sans laisse ni collier, les crocs plantés dans leurs trous de mémoire et flairant sur eux l'odeur de monologues, il me suffit de contempler ce spectacle des hommes immobiles occupés à guetter leur fin sans broncher pour savoir que la vie s'arrête avant les derniers rebonds du cœur. Clara n'a pas atteint cet âge où l'on se gave de souvenirs. Il me semble au contraire que le souvenir est l'épreuve la plus douloureuse qu'elle impose à son corps. Pour mieux la sentir, les mains à plat au-dessus de son ventre, moins d'un centimètre nous sépare, j'ai fermé les yeux. Je retarde encore le moment d'aborder sa peau en profondeur. Cela tient à si peu, l'impression qu'elle éprouvera en revenant à elle. Je me souviens de mon père face aux grands brûlés de Narvik, leur peau à vif recouverte de tulle gras. « Rien n'est anodin dès qu'il s'agit de toucher, murmurait-il. Prends la main d'un inconnu d'une certaine façon et tu réveilleras en lui des sensations de son enfance qu'il gardait enfouies. Le contact peut-être agréable, ressusciter ces moments où descendaient vers lui la main gantée de sa mère, ses doigts délicatement parfumés. Mais l'évocation est parfois traumatisante, une pression trop forte renvoie à une gifle indue, la première injustice qui marque au fer. » Je le sais, on n'effleure pas impunément la peau d'un autre. Et maintenant que mes mains survolent ce corps affaissé au souffle pesant, elles m'envoient un signal d'alarme évident. Un jour, Clara Werner a voulu mourir. Il n'est pas impossible que cette force soit encore à l'œuvre. Je finirai bien par en trouver la trace sur elle comme un regret. Les regrets, voilà ce qui marque les corps, davantage que le bonheur. Magnus Vog est mon allié. Il rend à Clara son image, et je m'inquiète de savoir quelle image. La grâce me revient de la sculpter.

J'ai posé le talon de mes mains sur ses côtes flottantes et, de là, j'exerce une légère pression. Puis j'avance sur son ventre, enfin. J'appuie toujours. Le baume tranquille pénètre. Elle respire mieux. Le ventre monte, redescend. Je relâche l'étreinte quand il gonfle, je l'accentue à peine il s'enfonce. Je recommence. Curieuse impression laissée par sa peau lâche, presque flasque, qui contredit ce corps tendu à rompre. Clara est à bout de défenses. Au fond, elle n'en peut plus de lutter, son enveloppe ne fait illusion qu'à condition de ne pas la toucher. Entre mes mains, elle existe à peine, c'est une crème renversée. Le souffle est redevenu normal, profond. Des milliers de petits ruisseaux souterrains semblent vouloir circuler à nouveau librement, la congestion recule. Un gargouillis de fontaine. Un long soupir. Le massage peut commencer. J'ai replié la jambe gauche de Clara face à moi. Mes mains parcourent l'artère fémorale. J'écrête les monticules, je redessine les filaments glissants sur la trame de ses cuisses, de ses chevilles, j'allège ses pieds saturés de pas perdus. Le genou s'est bloqué exactement comme l'autre fois. Ligaments sortis du rail. Pont osseux rigide. On dirait que le corps de Clara est un fossile. Il se fige aux mêmes endroits et reste fixe. Un jour, elle pourrait ne plus se relever. Les articulations que j'avais déjà réparées sont de nouveau grippées.

Je donnerais cher pour connaître les rêves de Clara. Pas tous, un seul. Celui qui doit revenir chaque nuit pour la laisser au réveil sans force ni volonté, accablée par le poids de ses peurs. Dans ses souvenirs de la maison des corps brisés, mon père relate ses soins restés longtemps inefficaces sur un ancien artilleur responsable d'un régiment. Il souffrait d'un torticolis chronique qu'il provoquait lui-même en se tordant le cou dans son sommeil. Mon père avait beau masser la fine mantille de peau recouvrant les cervicales, l'homme se blessait en revivant ses batailles nocturnes. Pendant l'attaque de Narvik, l'aviation ennemie avait pris ses hommes en traître. Les bombardiers étaient arrivés par l'intérieur des terres, alors que lui, sur la foi d'informations de l'état-major, avait donné l'ordre de pointer les batteries en direction de l'océan. Un sifflement aigu les avait surpris. Ils n'avaient eu le temps que de se retourner, déjà c'était fini. Par miracle, lui en réchappa. Mais de cette seconde de terreur, il avait conservé ce réflexe : toutes les nuits il se mettait la tête à l'envers pour regarder la mort en face.

J'ai reposé la jambe gauche de Clara. Au tour de la droite. Mêmes raideurs, même obstination à ne pas vouloir plier. Chaque douleur est une mémoire. À mes mains de réactiver les courants pour que le mal remonte à la conscience, tout en haut. C'est comme ça que mon père a tiré d'affaire le vieil artilleur. Le bonhomme a fini par lui raconter le raid sur Narvik, sa frayeur soudaine, la honte, surtout la honte, de n'avoir pas flairé l'ennemi dans son dos. La main peut soulager sans le secours de la parole. Mais pour guérir, un corps doit parler. Celui de Clara est un bloc de silence. Une congère. J'ai dû ajouter du baume sur mes mains pour raviver sa peau et vaincre sa froideur. Étrange sensation d'être le premier à accomplir sur elle ces gestes simples. Je regarde la nef de ses jambes. La chair est à peine rosée. Chaque membre paraît d'une dureté minérale. De la nuque à l'astragale, Clara est parcourue d'anciennes foulures qui peu à peu, à bas bruit, ont figé le mouvement. Elle n'a pas vingt ans. Son âge est géologique. Ses foulures viennent de la nuit des temps, elle se sont sédimentées, ont lentement gagné les territoires fragiles où les nerfs s'attachent aux muscles. Son corps entier a été foulé comme le sol qu'on piétine. Même son sang est foulé, même son cœur qui laisse entendre un souffle lointain, l'écho d'une autre vie où elle était peut-être une jeune femme. Je pense à nos icebergs qui naissent du froid. Aucun soleil ne les réchauffe jamais. S'ils dérivent sans hâte, c'est en rangs serrés. Ce qu'ils montrent d'épaisseur opaque n'est rien comparé à ce qu'ils cachent. Clara est de cette eau-là. À propos, Magnus Vog utilise-t-il de la peinture à l'eau quand elle se tient nue et glacée devant lui ? Je veux l'imaginer glacée pour me consoler qu'elle lui offre à distance son corps dépouillé. Dans ce cas il se trompe. Moi, je la sculpte à l'huile, de l'huile chauffante. Elle finira bien par fondre entre mes mains. Il suffirait de quelques mots prononcés par ses lèvres badigeonnées de Dermophile indien. Un marché entre nous. Je la soigne et elle guérit. Ma main contre sa parole.

Bientôt, le flacon de baume sera vide. J'ai accéléré la cadence du massage. Je suis en nage. Comme si sa vie était en jeu, et je crois qu'elle l'est, je retrace obstinément ses lignes de sang, les artères, la veine cave où elle doit encore cacher je ne sais quelle tentation d'en finir, les temporales, les fémorales, les inguinales, le pli de l'aine. J'appuie mes doigts serrés sur sa peau, enfant obstiné à imprimer ses décalcomanies sur une feuille blanche pour lui donner des couleurs, un petit air de vie. Mes mains plongent dans le plexus, épousent les rondeurs de ses seins, l'arceau de ses côtes échancrées. J'ai remis les ailes du nez en perspective avec le bas du visage, harmonisé le dessin des lèvres, assoupli la nuque par-dessous en donnant à mes doigts un mouvement de chenille. Le chauffage est bouillant. Mon visage dégouline. Déjà deux heures que je m'efforce et aucun signe d'elle. Je me suis épongé le front avec une serviette. Il faudrait que je reprenne le corps de Clara au commencement. Les dernières gouttes de baume remplissent le creux de ma main. Ma main gauche. Je l'ai posée à plat sur sa gorge. Une hésitation, tout à coup. Deux grands yeux me regardent.

23

Je ne souffre pas. Je suis légère, très légère. Je dois être morte car je ne sens plus mon corps. J'échappe à la pesanteur, la gravité m'est devenue étrangère. Mon existence s'est achevée sans que je m'en aperçoive et, par chance, pour la première fois de ma vie, la douleur m'a épargnée. C'est ce qui m'a alertée, l'absence soudaine de douleur. Forcément, j'ai quitté le monde des vivants. Sinon, qui m'aurait délivrée du fléau d'être moi ?

Donc je suis morte. Ce n'est pas trop tôt. Quand on se met à ressembler à une mandragore, inutile de s'éterniser. Je boirais bien un alcool fort, histoire de me remonter. Avec une bière Hansa, comme au mauvais bon vieux temps quand je m'exerçais à vivre et que je trébuchais sans cesse. Cela me surprend d'être une morte assoiffée, affamée. Je mangerais bien une tranche de saumon grillée à l'unilatérale ou une perdrix des neiges, ils en servent au Belevueba-ken, sur les collines. Il aura fallu que j'attende d'être morte pour ressentir du bien-être. Si j'avais su, dans la médina de Fès, j'aurais demandé qu'on m'embroche pour de vrai au lieu de me remuer les chairs. Une douce sensa-tion me gagne. Il faudrait que j'ouvre les yeux, mais c'est impossible puisque je n'existe plus. Si j'étais vivante, je dirais qu'un courant tiède irrigue mes cuisses, j'ai connu cela une seule fois il y a très longtemps dans une crique ensoleillée de la Méditerranée.

Un souffle s'approche puis s'éloigne. Une force me retient fermement. Je me suis trompée. Il semble que j'ai emporté une partie de mon corps. Par exemple, je crois que mes jambes m'ont accompagnée, et mon ventre qui émet des gargouillis. Ai-je eu droit à un régime de faveur ? Je jurerais avoir gardé ma tête. Il suffirait alors d'ouvrir les yeux.

24

Depuis combien de temps Clara me fixe-t-elle ? Son regard brille d'une lueur violette. Tout son visage me dit qu'elle revient de loin. Sous les frondaisons de ses cils j'ai vu naître une larme, et sur sa bouche, l'esquisse d'un sourire.

25

Ce matin j'ai pris mon compte d'aquavit. Il faut me laisser faire. Je sais parfaitement me contrôler. Ne croyez pas que je veuille me détruire. C'est tout le contraire. Je pense avoir convaincu l'accordeur. Il m'a demandé de lui raconter un rêve qui m'angoisse. J'ai promis, bien que cela ne me plaise guère d'en parler. Mais je lui dois bien ça, il est allé me rechercher au fond de je ne sais où, et à mains nues. Avant, je veux passer l'épreuve. Je m'y suis préparée. D'après mon plan, le consulat du Maroc se trouve juste derrière l'université, sur Pudde Fjord. Je marche d'un bon pas, l'acte de mariage plié dans ma poche. Au moment de sortir, je l'ai relu. L'original. Le jour et l'année sont mentionnés en arabe. Je ne peux rien dater. En grosses lettres, un mot qui veut dire VIERGE, je m'en souviens.

Un bâtiment de granit surmonté d'un drapeau rouge et vert. Il est trop tard pour reculer.

Ces regards sur moi, tout à coup. Cela s'appelle se jeter dans la gueule du loup.

« Madame... »

Un jeune huissier à moustaches me dévisage. Il sourit. Je suis tentée de rectifier : mademoiselle. Mais surtout ne pas le provoquer. Le Maroc entier doit me surveiller. Une photo du roi Hassan II est exposée dans l'antichambre de l'officier d'état civil qui va me recevoir. En Norvège aussi ils ont un roi. Mais en Norvège, je l'ai appris à mon arrivée, les femmes votent depuis 1913. L'huissier m'a proposé un verre de thé à la menthe. Il me tend une soucoupe remplie de pignons avec les gestes appliqués d'un élève d'école hôtelière. Des images reviennent, inévitables. Et la peur en embuscade.

« Monsieur l'officier ne sera pas long », s'excuse l'huissier.

Je m'efforce de rester silencieuse. Un silence de glace, pour ne laisser aucune prise. Je sais ce que je risque. Un silence de glace, on peut le briser.

« Française ? De passage à Bergen ?

– Oui. »

Mentir un peu, c'est garder le silence. Aussitôt je détourne mon regard. On se fait attraper comme ça, avec les Marocains. Par le regard. Ils sont beaux à voir, on n'en croit pas ses yeux, au

130

début. Tant de grâce et de délicatesse, qui pourrait imaginer le malheur de leurs femmes ? Mon œil glisse sur les affiches touristiques. Une fantasia dans les terres pourpres de Marrakech, les flancs verdoyants de l'Atlas. Essaouira la sauvage et Smara la lointaine. Les plages désertes. L'ondulation des dunes où flotte, aplatie, l'ombre des caravanes chamelières. Les maisons de terre crue aux murs tièdes. Je ne vais tout de même pas retomber dans les sortilèges de cette incomparable splendeur. Il serait temps qu'on me reçoive. La vision d'un tagine d'agneau attise ma mémoire, tout était si bon, raffiné, merveilleux, là-bas.

La porte du bureau vient de s'ouvrir. C'est mon tour. L'homme me fait signe d'entrer. Je ne veux pas voir s'il est beau, s'il a du charme, je ne veux pas entendre qu'il parle comme Anas, qu'il est de Fès, qu'il a bien connu untel au Lycée français. Je garde les yeux baissés sur mon sac à main. Sans un mot, je lui ai tendu l'acte de mariage établi devant le cadi de Kenitra.

« Alors ? fait-il après avoir survolé le document.

– Je veux divorcer. »

Il se replonge dans la lecture du contrat de mariage, hausse les sourcils.

« J'ai déjà soixante cas comme le vôtre. »

Il soupire.

« Vous devez savoir qu'au Maroc une femme ne divorce pas, madame Marouni. »

Il appuie sur le « madame Marouni ».

J'aurais dû m'en douter.

« Que peut-elle faire ?

– Rien. C'est à son mari de la répudier.

– Répudier ! »

Je me répète ce mot. À quelle époque sommes-nous ? Impossible de savoir, je suis fâchée avec les dates. Sur l'acte, il est écrit 16 journmada 1401, je ne suis guère avancée. L'officier d'état civil ne me retient pas. Pourquoi se donnerait-il cette peine ? C'est le Maroc qui me retient. L'accordeur sera satisfait. Mon cauchemar est devenu réalité. Je serai plus à l'aise pour raconter la réalité.

26

Les enfants se poursuivent dans les rues. Les autos roulent au ralenti. Les vitrines des pâtisseries débordent de trolls en chocolat, Bergen est une forêt de bougies que des mains invisibles passent leur temps à rallumer. Des marelles improvisées sur les trottoirs enneigés. Des fillettes me demandent si je veux jouer avec elles. J'aimerais bien mais ce n'est pas le moment, ou, plutôt, j'ai passé l'âge. Quand j'avais huit ans, je n'y jouais jamais car la mère ne m'embrassait pas. C'est impossible d'expliquer cela à une petite Norvégienne aux joues rouges comme des gommettes qui ne comprend que le langage des enfants, s'amuser. La mère ne me touchait pas, m'évitait soigneusement, me reprochait mes cheveux, la couleur de mes yeux, ma vilaine peau, ma tenue négligée, mon manque de maintien (ce n'est pas vrai, je me tenais très droite et je continue, même avec un petit coup dans le nez), me reprochait d'avoir abandonné la danse, mais ne voulait rien entendre au sujet de mes talons d'Achille atrophiés. Le père, s'il m'embrassait en cachette de la mère, me piquait. Pour imaginer à quoi pouvait ressembler un baiser de femme, un baiser de la mère, je posais mes lèvres sur mon bras en me disant tout bas juste pour moi, « bonjour ma fille, bonne nuit, ma chérie », et cela me donnait des frissons comme un plaisir défendu. J'avais fini par m'inventer que la mère était une sorcière au nez crochu, ainsi, j'étais soulagée si elle oubliait de m'embrasser, de toute manière elle oubliait tout le temps. Alors, bien sûr, en jouant à la marelle avec des filles de mon âge pourries de baisers, je ne risquais pas d'aller au ciel.

Je marche lentement dans les rues de Bergen illuminées d'ampoules multicolores. Des élans aux bois tendres recouverts de velours tirent des traîneaux remplis de pères Noël et de cris d'enfants. Les mères photographient leurs petits, en oublient l'heure, il faudrait rentrer, mais c'est tellement bouleversant, dans l'hiver sans soleil, de voir briller des regards émerveillés. Je devrais accélérer le pas. Sous mes souliers craquent des feuilles gelées de pommiers. Je connais ce bruit sec. Il me rappelle quelque chose. « Non, petite, je ne joue pas. » De la tête, je fais « non », une menotte me tend une sucette ronde, une *Lollypop*, un chocolat fourré, merci. Ce bruit sec, je sais. Dans l'appartement de Dublin, je marche sur ma bibliothèque dévastée, le papier cristal qui enveloppait mes chers vieux livres craque comme les feuilles mortes des pommiers de Bergen en hiver. Je suis arrivée sur les quais. C'est chaque fois la même chose lorsque je trotte longtemps. Un point de côté, à gauche, dans le mou du ventre. L'accordeur ne m'a encore rien dit de mon ventre. Pourtant il a bien appuyé, l'autre fois. J'ai vu son œil sur la marque rouge, à l'endroit du point de côté. Une brûlure ici, ce n'est pas courant. Je ne sais pas combien de mères, à Bergen, jettent des fers à repasser sur leurs fillettes en pantalon de pyjama et torse nu. Si j'ai bonne mémoire, j'avais seulement dit : tu m'as froissée. J'avais appris ce mot à l'école, CM2, cours de Mme... j'ai oublié. Je me souviens juste que ce matin-là dans le couloir de l'appartement, était-ce à Villars-de-Lans, à Grenoble, je me souviens, cette insolence méritait le fer. Je n'ai reçu que la pointe, la mère n'était pas exercée à ce jeu. L'enfer est aussi difficile à atteindre que le ciel des marelles. Et moi j'étais un diable au ventre chiffonné. Ma brûlure s'est réveillée dans le froid de Bergen. Ce doit être de regarder le feu

135

vacillant des torchères, au large, sur l'étrave cyclopéenne des plates-formes pétrolières.

Que m'est-il arrivé ? Un homme a fortement étalé ses mains sur mon ventre. Rien dans son regard ne m'a rappelé l'écœurement de la mère. Il n'a pas dit non plus que je ressemblais à une mandragore, peut-être le pense-t-il, mais il ignore ce mot en français, ou bien il se garde de le prononcer. Je devrais retourner chez Magnus Vog. L'autre jour, quand je suis entrée dans son appartement, je me souviens que plusieurs toiles étaient tournées vers le mur comme de mauvais élèves punis. S'il ne peut supporter de les avoir sous les yeux, il s'agit sûrement de moi. Je lui demanderai de les détruire. Je lui demanderai pardon, dire qu'il me prenait pour une beauté, pour la beauté. Nue, c'est autre chose. J'ai une excuse, la mère ne me touchait pas.

27

Une fois par mois, je reçois les nouveau-nés. Ma salle d'attente se transforme en nursery. Des cris minuscules rompent le silence habituel du cabinet. Je passe en sourdine une messe de Mozart, toujours la même. Les mères me tendent leurs bébés avec curiosité, le bruit circule à Bergen qu'entre mes mains les petits s'endorment. Je modelais le crâne d'un prématuré, le puzzle de ses os de mousse, lorsque Clara Werner est arrivée. Je ne l'attendais pas ce soir. Elle m'a demandé si elle pouvait rester pour regarder. Bien sûr, j'ai accepté. Elle ne perd pas une miette de mes gestes. Je tiens dans mes mains jointes en casse-noisette le visage tout rond d'une petite fille de sept jours. La maman aussi mériterait que je m'occupe d'elle. Ses yeux trahissent des nuits sans sommeil, des nerfs à vif. « Elle est née, elle a hurlé. Depuis, elle n'arrête plus. » Je l'ai prise contre moi. Je l'ai allongée sur la table de massage recouverte de bulgomme. On n'entend plus Mozart. Elle n'a sur la peau qu'un body à manches courtes. Ses cris prolongent le premier cri de la naissance, et sa tête doit résonner de sa voix qui lui fait peur. Mes mains serrent fermement les tempes, glissent sous la nuque, tâtonnent, remontent vers le front en appuyant. Les pleurs se sont espacés, des yeux aveugles interrogent leur nuit provisoire. Mozart est revenu. Il suffit de rien, d'un petit os en porte-à-faux pour mal commencer dans la vie. Quand nous nous sommes retrouvés tous les deux, Clara et moi, c'est elle qui a parlé en premier.

« Voulez-vous que je vous raconte un rêve ?

– C'est à vous de vouloir.

– Je suis prête. »

Elle s'est assise face à moi sur le tabouret, comme au tout début.

« Je suis enfermée au Maroc.

– Dans une maison ?

– Non, pas une maison, un pays entier. Il ne me lâche pas. J'y reviens sans cesse.

– Quelqu'un vous y ramène ?

– Plutôt une force qui me dépasse. Là-bas, je ne marche pas, je cours. Je cours dans la médina de Fès. J'aimerais courir plus vite, mais un point au côté me coupe le souffle. Disons que je fuis, mais j'ai beau courir et courir, je suis prisonnière

138

de cette médina qui me terrifie en même temps qu'elle m'attire. C'est à cause de ces femmes qui me tendent la main pour m'attraper. Longtemps j'ai voulu que des mains de femme me retiennent. J'ai tellement besoin que des femmes me regardent et me considèrent. Mais pas celles-là, celles de la médina sont des sorcières. Elles crient : "C'est elle, c'est elle, il faut venir au bout de cette affaire !" Combien sont-elles ? Des centaines, des milliers, d'innombrables bouches ouvertes. Leurs cris me poursuivent. Elles sont de mèche avec Anas, avec sa mère, avec la mère, la mienne, forcément. J'ai beau courir, je ne peux me délivrer de ces foules hurlantes.

— Qu'avez-vous dit ?

— Ces femmes, ces femmes arabes. J'entends leurs youyous aigus, ils me crèvent les tympans. »

J'ai attrapé les mains de Clara.

« Oui, mais juste avant, vous avez parlé des foules...

— Les foules hurlantes.

— C'est ça, c'est bien ça. Moi je comprends : les foulures lentes, c'est un malentendu, cela ne veut rien dire, n'est-ce pas ? »

Elle a paru soudain perplexe.

« Les foulures lentes ? Non, enfin, je ne crois pas. »

Je lui ai demandé de s'allonger sur le

139

bulgomme. Elle a souri car c'était la place des bébés, tout à l'heure. J'ai enduit mes mains d'une huile légère qui pénètre facilement la peau. Je voudrais continuer à lui parler mais sa respiration a changé aussitôt. On dirait que ses membres ont cessé de crier sous mes mains. Son corps est tout en langueur. Clara Werner s'est endormie.

28

L'avocate s'appelle Karin Sorensen. On me l'a conseillée à l'Institut océanographique. Son cabinet est au deuxième étage d'une ancienne bâtisse des marchands de la Hanse. Je suis souvent passée devant. C'est la première fois que je remarque ces deux formes noires de métal, sur la passerelle qui prolonge le quai des Allemands. Deux plaques triangulaires aux extrémités arrondies. En réalité, elles sont exactement alignées. Mais quand on marche de côté, la vue se dédouble, et ce sont deux silhouettes trapues qui semblent regarder la mer, immobiles. Elles aussi, j'ai dû passer devant souvent. Mais aujourd'hui, je vais voir Mᵉ Sorensen du barreau de Bergen pour quitter le nom de Clara épouse Marouni, et ces plaques de métal accolées qui protègent un câble d'acier pour le remorquage des pétroliers ressemblent à deux femmes arabes, aux vieilles vipères de la médina de Fès, de noir vêtues, corps et âme. Aujourd'hui, je suis tombée dessus, elles étaient inévitables, on avait rendez-vous.

Me Sorensen comprend vite. Elle m'écoute en hochant la tête. Parfois elle dit : il faut vérifier la loi marocaine. J'ai commencé par Dublin, j'essaie de parler sans trop d'émotion, évoquer des coups revient à les recevoir encore, j'avais raison de me méfier des mots. Me voilà si faible devant cette belle femme à la peau claire semée de taches de rousseur. J'ai prononcé le nom d'Anas, j'ai montré le creux à la naissance du cou, mes oreilles, un biceps qui reste torsadé comme un nœud compliqué en usage dans la marine, quand on ne veut pas que ça lâche, et pourtant tout a lâché, vous comprenez. Elle comprend. Admirable Me Sorensen, ce front lisse et sans histoire, cet air de confiance docile en l'existence, les mèches de cheveux qui se remettent en place tout naturellement quand elle secoue la tête, une vraie réclame pour une marque de laque, une Norvégienne aux yeux grands ouverts sur mes malheurs et qui, sans hésiter, sait où poser ses mains, son regard, ses questions dans les décombres de ma vie.

Elle répète : la loi marocaine...

Elle ébauche une requête en divorce à un juge, quelque part,

... a l'honneur de vous exposer...

eu égard et en application des articles...

qu'elle a contracté mariage avec M. ... à Kenitra (Maroc), le...

qu'aucun enfant...

que la vie ne tarda pas à... difficile... impossible... mari jaloux, irascible au point de séquestrer sa femme, interdisant de côtoyer amis...

que la fréquence des disputes et le traumatisme...

s'est vue dans l'obligation de s'enfuir du domicile conjugal où...

qu'elle fut à plusieurs reprises frappée...

que la gravité des faits...

C'est pourquoi elle s'adresse à vous, monsieur le juge, aux fins qu'il vous plaise...

Sous toutes réserves et ferez justice.

Bergen le...

Je ne distingue plus que les taches de soleil sur la peau de Me Sorensen. Mes yeux chancellent. J'ai perdu l'habitude de tant de lumière.

Pour la troisième fois elle me pose la même question :

« Êtes-vous séparée de corps ? »

J'ai fini par répondre oui, mais elle me ronge, cette question. Ou plutôt la réponse qui m'est venue du ventre, une douleur abdominale comme une contraction, une envie d'enfant, je veux dire, une envie du temps où j'étais enfant :

être séparée de la mère. Je ne dis pas d'Anas. Je dis : de la mère. Pour que les choses soient claires au moins une fois : nous étions mal attachées, la mère et moi.

29

J'ai passé une partie de la nuit à relire le manuel de mon père, *Dans la maison des corps brisés*. Ce n'est pas à proprement parler un manuel bien qu'il se parcoure avec les mains. Il s'agit plutôt d'une somme de cas cliniques soumis à son toucher d'accordeur, à son doigté précis d'aveugle qui connaissait la musique étouffée des cuirasses musculaires. Il arrivait que mon père tirât ici ou là un début de généralité sur les membres souffrants, les faux mouvements qu'il comparait à des lapsus, sur l'ankylose comme un ciment à prise lente. À chaque ligne je cherche un signe, l'indice qui m'aiderait une fois pour toutes à assouplir la peau dure et urticante de Clara Werner. Mais, justement, il n'existe pas de fois pour toutes sur la charpente endommagée d'une jeune femme. Les creux se reforment, et les bosses, sitôt la main disparue, comme la mer toujours recommencée du poète. Le corps est la chair de l'esprit. Chaque tourment de l'âme laisse sous la peau une fêlure et dessus, une foulure. Mon père l'écrit avec ses petits points saillants : tout l'édifice vivant doit être massé. On ne peut garder un corps droit si les idées sont tordues. Aller au bout du corps de Clara, déplier ses jambes, ses mains, aplanir son ventre, colmater les avaries, c'est la seule chance de lui remettre la tête d'aplomb. L'autre soir, en abaissant sa culotte sous les plis de l'aine, j'ai entraperçu au firmament de ses cuisses un royaume d'ombre. La prochaine fois j'examinerai de plus près l'entaille du sexe. J'ai remonté sa culotte. Il m'est resté une odeur de fruit tombé de l'arbre.

J'étais au milieu de ma lecture quand le téléphone a sonné. Qui pouvait appeler si tard ? Il m'a fallu quelques secondes pour comprendre que la voix bredouillante était celle de Magnus Vog. Clara lui avait parlé de moi. Il insistait pour que je passe à son atelier. Ce n'était pas très urgent, disait-il sur un ton qui prouvait le contraire, mais il aurait bien aimé que je vienne dès le lendemain matin pour profiter des premières lueurs du jour, le bulletin météo annonçait un ciel dégagé. J'aurais pu lui demander les raisons de son insistance. On ne se connaissait pas sauf de vue, et à Bergen, tout le monde se connaît de vue. C'est la meilleure manière de ne pas se connaître, mon père disait cela pour se consoler. Mais Magnus Vog avait prononcé le nom de Clara, cela me suffisait. Ce fut un choc lorsque, à huit heures, je pénétrai dans son atelier. Plusieurs toiles accrochées au mur représentaient le même personnage de femme blessée, racornie et difforme. En m'approchant d'un tableau, je constatai que Magnus Vog n'étalait pas sa peinture au pinceau mais directement avec le rebord métallique de ses tubes. « Pour les derniers, j'ai réussi à travailler avec les doigts. Mais les poils doux et souples, c'est impossible. Elle lutte trop, elle est tellement dure. » Je sentais dans mon dos son souffle court chargé d'alcool. Il se dandinait d'une toile à l'autre comme une bête honteuse d'avoir souillé sa litière, les mains accrochées à ses cheveux.

« Elle insiste, mais je n'ai pas eu le cran de lui en montrer un seul.

– C'est ainsi que vous la voyez ? »

Je m'étais planté devant le plus grand tableau, elle me faisait face, nue, les épaules droites, le buste parfait, le regard teinté d'une légère insolence, tout respirait le bien-être sauf cet abdomen ouvert comme une bouche suppliante. Magnus Vog se tut. On entendait la pluie tomber sur les tuiles. Le silence entassait ses cailloux.

147

« Je ne la peins jamais sur le moment. Trop d'émotion. Je commence dès qu'elle me tourne le dos. Oui, c'est comme cela qu'elle m'apparaît quand elle a le dos tourné et que je suis seul avec l'impression qu'elle m'a laissée d'elle. La beauté s'efface et il reste un bloc de souffrance. On ne peint pas un bloc au pinceau. Et s'il m'arrive de vouloir la dessiner au crayon de bois à mine tendre, croyez-moi si vous voulez, les mines cassent. D'ailleurs, j'ai renoncé. »

Il reprit son souffle.

« Ce tableau, c'est le cri de son ventre. Si je vous ai appelé... »

Il hésita. Je l'encourageai du regard.

« Vos mains sont réputées dans toute la Norvège. Je voudrais savoir... avez-vous perçu ce cri en les posant sur son ventre ? Vous comprenez, moi, je ne l'ai jamais touchée, pas même caressée, pas un seul de ses cheveux, sa chair encore moins. Dès que je suis devant la toile vierge, sa beauté passe d'un coup, imaginez une fleur sans eau qui se décompose.

– J'imagine.

– Très bien, alors je voudrais vous montrer autre chose. »

Magnus Vog fit quelques pas vers un placard au fond de son atelier. Il tourna la clé d'une serrure et sortit une toile protégée par plusieurs épaisseurs de papier kraft.

« Celui-ci, j'ai renoncé à le regarder. Je l'ai peint il y a deux semaines. J'ai hésité à le brûler. Dès qu'il a été sec, je l'ai caché. Depuis, je n'ai plus touché à mes maudites peintures et je me terre ici en redoutant sa venue. »

J'attendis avec appréhension qu'il eût terminé son déballage. Ses mains tremblaient un peu, mon regard aussi. Enfin il brandit l'objet en se dissimulant derrière. Toujours Clara, toujours nue, sa bouche rouge Baiser, et partout le long du corps, sur le ventre, sur les bras, le front et les joues, sur les cuisses, comme des sangsues, des sexes de femme.

« Je ne les ai pas peints, parut s'excuser Magnus Vog, c'était plus fort que moi, je les lui ai assénés comme des coups. »

Clara semble vouloir parler. Je reconnais l'éclat sombre de son regard, le même éclat qui se plante sur moi lorsque j'avance vers elle à mains nues.

« Je l'ai appelé "Affection".

– Qui ça ?

– Le tableau, dit Magnus Vog en le posant par terre, soulagé d'avoir confié le lourd secret qui le tourmentait. Un jour qu'il faisait froid dans l'atelier, mon poêle à bois est parfois lent à l'allumage, je l'ai surprise en train de s'embrasser les bras. Elle avait du rouge à lèvres. Les traces étaient restées nettes sur sa peau, elle avait dû beaucoup appuyer. Elle m'a avoué honteuse que, petite, elle se couvrait de baisers. »

Je comprends que Clara Werner se méfie des mots, « les mots qui tuent », comme elle dit. L'affection, est-ce de l'amour qu'on s'accorde ou une maladie qui se déclare ?

« Vous ne m'avez pas répondu, murmura Magnus Vog. Le cri du ventre, vos mains l'ont entendu ? »

30

Mᵉ Sorensen m'a convoquée tôt ce matin. Elle tient dans ses mains le courrier du magistrat chargé de mon affaire. « La difficulté vient de la loi marocaine, commence-t-elle. La demande de répudiation doit être renouvelée trois fois, puis acceptée par votre mari M. Marouni »

J'ai écarquillé les yeux.

« Cela veut dire que...

– Que vous resterez sa femme aussi long-temps qu'il n'aura pas signifié à trois reprises son intention de vous répudier. »

Suis-je dans une enclave du Maroc, à Bergen ? Mᵉ Sorensen me sourit, elle est désolée. Tout cela sera long, il faudra être patiente. Je lui dois cinq mille couronnes de provision. Inutile d'espérer retrouver mon nom de jeune fille. Quant à mon corps d'avant... Je suis Clara Werner épouse Marouni, Anas en avait-il cons-cience lorsqu'il me disait : tu n'es qu'un trou ?

Tout à coup je me sens glisser vers l'ombre. Me Sorensen a entrouvert la fenêtre, sa chevelure impeccable semble montée sur ressorts, les mèches s'ordonnent parfaitement autour de son front. Le mien se creuse, se plisse, je sens qu'une autre ligne s'écrit à même la peau, avec duplication sur le ventre, une ligne de travers, un vertige de funambule.

« Entre femmes, il faut s'aider », dit-elle à voix basse en me prenant la main.

Je me méfie des mots à double fond comme les valises d'espions. Elle répète : il faut s'aider ; mais moi, je comprends : je dois céder. Lignes tordues sur le front, sur le ventre. C'est toujours le même malentendu qui me poursuit depuis ma tendre enfance, mais dites-moi où est la tendresse d'une fillette qui s'étreint le bras, où est l'innocence – j'espérais tant qu'au réveil on viendrait m'annoncer la mort de la mère. Lignes de front, lignes de fuite. Désertion. Elle ne m'aimait pas ? Quelqu'un d'autre m'aimerait. Anas, il tombait bien. Au fond du trou. Je vous jure que j'ai à peine bu avant de me rendre chez Me Sorensen. C'est ça, un petit verre de bière. Et une rasade d'aquavit direct au goulot, j'ai tout juste rempli mes joues. D'un commun accord avec la mère, nous nous sommes séparées de corps. Ainsi je suis née. Avec Anas, j'ai plongé. Ce qui compte, avec les coups, ce n'est pas la douleur. Pas tout de suite. D'abord, il y a le contact. Il me touchait, lui. Évidemment, il ne me faisait pas l'amour. Il se masturbait dans mon ventre, crachait à l'intérieur. Il faut s'aider ? Je dois céder. Un jeu d'enfant. Je ne pleurais pas. Les larmes sont comme les mots, elles ne disent pas la vérité.

« Vous ne vous sentez pas bien ? »

Mᵉ Sorensen s'est précipitée à mes côtés.

« Si. Je voudrais une cigarette. »

Elle a fouillé dans son sac à main, m'a tendu un paquet de blondes, light. Je n'ai plus fumé depuis tellement d'années.

« Gardez-le. »

À peine dehors, je me suis étalée de tout mon long. Ce satané genou. Deux dockers aux reins harnachés de cuir m'ont aidée à me relever. Dans leurs bras, j'étais une plume. Ils m'ont remise sur le bon chemin, j'ai marché cahin-caha jusqu'à l'Institut océanographique. Des mots me font signe, méfiance. Par exemple, je me demande si le directeur va me parler du niveau de la mer.

31

Je n'ai pas entendu sonner. Peut-être a-t-elle profité qu'un patient sortait, il lui aura tenu la porte, elle est du genre chat qui se faufile avec sa pelote de nerfs. Tout de suite, j'ai remarqué sa cigarette. Elle avait une drôle de façon de fumer, les lèvres aspirant goulûment et trop fort, comme si elle tétait. Elle m'a tendu une main glacée. Je m'en souviendrai, de ce froid dans ses doigts, elle avait sûrement éteint quelque chose tout au fond d'elle. Son sourire démentait son regard, gelé lui aussi. Ce soir-là, j'avais mis la chaîne stéréo. Une voix montait, suppliante, « *Stabat mater dolorosa* », chaque syllabe découpée, suspendue et gravée dans le silence. Sans un mot elle s'est dirigée vers la salle de soins, sans un mot elle est restée debout et quand la plainte est montée, « *lacrimo-sa* », j'ai senti son corps entier se disloquer comme un jouet qui ne veut plus servir et casse d'un coup. Je me suis agenouillé auprès d'elle. Ses lèvres remuaient.

« J'aurais besoin de vos mains, s'il vous plaît. Mon corps n'est pas impuissant. Il est impossible. »

Je l'ai tirée avec précaution sur le tapis de bulgomme. Elle m'a laissé ôter ses vêtements sans manifester de résistance. J'ai gardé dans l'oreille les craquements de son chandail de laine aux manches gorgées d'électricité statique. Voulait-elle me faciliter la tâche en fermant les yeux ? Des vaisseaux mauves cernaient ses paupières. Jamais de ma vie je n'avais éprouvé le sentiment de la faïence. Mes mains à fleur de peau se sont mises à déchiffrer cette calligraphie très simple qui disait : fragile. La voix de mon père m'accompagnait dans le lent voyage vers un archipel d'abandon où chaque membre semblait décidé à ne plus répondre aux autres. Le corps de Clara avait fait sécession. « Éclaire-le de l'intérieur, ordonnait mon père. Maintenant. »

« Mes mains peuvent vous guérir sur parole, vous me croyez ? »

Elle a rouvert les yeux. Le disque tournait. « *Stabat mater, doloro-sa* ». Elle s'est lancée.

« Vous vous souvenez, la première fois. Vous m'avez parlé de ma mère. Vous avez tiré sur le fil. Tout est venu. Il faudrait le couper, puis recoudre. »

Sa respiration est lente. Son ventre monte et descend. Ce n'est pas le ventre d'une jeune

155

femme. Des ombres dansent sur ce ventre qui refuse d'être plat. J'ai posé ma main dessus, il est bombé comme une envie d'enfant.

« Vous savez, n'est-ce pas ? »

Je suis dans la mire de son regard noir. L'air est coupant.

Oui, je savais dès le début, les fines attaches de Clara, si fines qu'elles n'ont noué avec la vie aucun lien durable.

« J'ai froid. »

Je lui ai confectionné un collier de papier enveloppé dans une écharpe de soie. La chaleur ne tarde pas à irradier la chaîne vertébrale, une trouvaille de mon père pour soulager le corps alentour du dos.

Oui, je savais l'histoire de ce ventre qui retenait tous les coups sans se plaindre, mémoire dormante, mémoire édredon. Il fallait la lucidité de Magnus Vog pour distinguer un cri dans cet abîme de silence. Il n'a pas osé me le dire, mais j'ai vu à ses ustensiles jetés en vrac près de sa palette qu'il peignait surtout Clara au couteau. Pas étonnant qu'elle dise maintenant :

« Je saigne souvent. À la moindre contrariété, une vraie fontaine.

– Si j'avance ma main, croyez-vous que... »

Une réponse sèche.

« Je ne suis pas croyante. Avancez, vous verrez bien. »

L'alcool, j'avais aussi deviné. Une goutte de citron dans l'œil ? Inutile quand on est perfusé à l'aquavit. Elle ne dit pas de bêtises, Clara, quand elle a bu. Son regard tangue un peu, mais elle sait bien d'où vient ce goût de sang dans la bouche. Grandir ne guérit pas des chagrins d'enfant. Il ne faut pas lui raconter d'histoires. Elle a compris, certains voyages sont sans retour. L'alcool à la place du lait refusé, les coups pour suppléer les baisers, ce qui manque au début, on passe sa vie à le rechercher entre des bras impossibles. Clara me parle d'une vieille bouteille de brandy aux fines épaules du côté de Dublin, d'un Oriental beau comme le diable qui l'étreignait avec ses poings.

Ma main a entrouvert ses cuisses et n'ira pas plus loin.

« Je suis fermée. Fermée. »

J'ai de nouveau palpé son ventre. Il est chaud, maintenant. Tout son corps s'est coloré.

« Vous m'avez beaucoup touchée, me dit-elle en se rhabillant.

– Trop ?

– Non, j'ai dit beaucoup touchée. Je reviendrai vous voir après mon voyage dans le Nord. » Elle a ouvert mes mains en grand devant ses yeux, a examiné chaque nervure, les sillons, comme si elle voulait les photographier, les retenir en prévision d'une longue absence.

32

« Clara, vous tombez très bien. »

Vuk Langstrom est très excité, ce matin. Le départ de l'Express-côtier est prévu pour après-demain. Les équipements de mesure des marées ont été soigneusement démontés, puis rangés à l'intérieur de grosses caisses en planches de conifères scandinaves tapissées de feuilles d'argent. « Il faut ça pour du matériel aussi précieux », glisse le président de l'Institut sur le ton du complot. Il m'a entraînée dans son bureau et cherche avec ardeur un dossier dans ses tiroirs. Des trombones en tombent, des tubes de colle, une liasse de buvards, des pièces de vingt couronnes.

« Nous y voilà ! Que dites-vous de cela ? »

Il m'a tendu une photo en noir et blanc de qualité médiocre. On dirait un énorme tas de boue enchâssé dans la neige.

« Il a vingt mille ans, précise aussitôt Vuk

Langstrom. C'est un mammouth laineux. Les courbures grises, à gauche, ce sont ses défenses. La découverte est considérable. Supposez qu'il ne soit pas le seul vieux solitaire de la banquise, mais que des milliers de ses congénères soient pris eux aussi dans les glaces. Les muséums du monde entier vont se les arracher ! Je vois déjà les hélitreuillages à qui mieux mieux. Vous savez combien pèse une bête pareille dans sa gangue ? Non ? Vingt tonnes. Vous comprenez tout de suite le danger... »

Devant ma mine confuse, Vuk Langstrom redouble de pédagogie.

« Mais si, Clara ! Je les imagine, ces messieurs de la paléontologie, décongelant la banquise et arrachant les poils de mammouth à coups de sèche-cheveux. Leurs prélèvements auraient une conséquence dramatique sur le niveau de l'océan. Vous verrez que la mer pourrait baisser de deux ou trois mètres, peut-être davantage, tout dépend du nombre d'inscrits au cimetière des mastodontes. À vous de prendre les dispositions appropriées. Il faut dissuader les explorateurs de s'arroger ce butin de chair préhistorique. Il en va des grands équilibres entre la terre et la mer. »

Je me suis levée en approuvant, fière de ma mission. J'ai emporté la photographie. À vrai dire, je ne la quitte plus des yeux. Cette masse informe que j'avais prise pour de la boue produit sur moi un effet étrange. Un mammouth laineux. Dans la glace. Vuk Langstrom m'a confié un article du chef de l'expédition qui a découvert l'animal. Des chasseurs lapons avaient vu de grandes arches émerger de la banquise, quelques touffes de poils gris et brunroux. Il parle de la fragilité de la peau lainée. D'après le scientifique, il s'agit d'une femelle. Par extraordinaire, elle a conservé à l'intérieur de sa trompe un bouquet de fleurs vieilles de vingt mille ans, fraîches, intactes. De petites fleurs rouges comme les petits en cueillent pour leur maman.

33

J'ai rempli ma valise en cuir souple, entassé mes pulls, mes gants et mes bonnets, mis de côté un pot de baume du Tigre, acheté de nouvelles bottines fourrées. J'attends Olav. C'est lui qui me conduira sur le quai des voyageurs. Lorsque je lui ai dit que j'aurais besoin de lui, j'ai senti sa voix enjouée dans la perspective d'une virée à l'aéroport. Il comptait emmener ses enfants, cette fois. On aurait pris des jus de fruits en contemplant le ballet des avions. J'ai dû lui répéter que je prenais l'Express-côtier, il ne voulait pas entendre. Il a eu cette réflexion bizarre : « Jamais je n'aurais cru qu'une fille comme vous monterait plus au nord. » Hier soir, je suis allée boire quelques verres au café Bryggen. Magnus Vog a fait comme s'il ne m'avait pas vue, mais je savais bien que c'était impossible. J'ai pris une bouteille d'aquavit et je me suis installée à sa table.

« J'ai honte, m'a-t-il avoué sans que je demande rien. J'ai détruit toutes les toiles de vous. Je n'ai plus la main. Je regrette, Clara. »

Je l'ai embrassé sur les joues en lui murmurant que, s'il peignait mal, il mentait encore plus mal. Je crois qu'il avait déjà trop bu pour se défendre. Moi, je n'avais pas encore assez bu pour avoir envie d'expliquer.

On a sonné à la porte. Olav, déjà ? Il serait en avance. La bateau ne lève l'ancre que dans une heure. C'est une lettre. Plutôt, une petite enveloppe tapissée de papier bulle. J'ai reconnu l'écriture. D'abord le timbre, une palmeraie, le cachet, les caractères arabes, et mon nom en entier, il ne manque rien, Mme Clara Marouni, de la main appliquée d'Anas. L'envoi est d'abord arrivé à mon ancienne adresse française, place des Quarts-d'Heure, à Aix-en-Provence (il avait mis : Ex-en-Provence). Puis elle est repartie vers Blida, Algérie. De là, on l'a renvoyée chez mes parents à Grenoble. Ils ont fait suivre.

Mon corps s'est mis à trembler comme un vaisselier. Il vibre de partout. Je palpe l'intérieur de l'enveloppe. Elle contient un petit objet. Anas, mon amour, que me veux-tu cette fois ? Laisse-moi, il faut me laisser, la vie a affaire loin de nous. J'y pense brusquement, et s'il acceptait la répudiation ? Me Sorensen m'a assuré qu'elle ferait son maximum pour entrer en contact avec lui. Mais oui, il a dû comprendre, il était intelligent, Anas. Il n'a plus rien à perdre. Il savait bien qu'on n'y arriverait pas, il devenait fou avec une Francaoui.

J'ai ouvert. Une belle lettre piégée. D'abord l'objet enveloppé dans du papier violet. Une bague de citrine et d'onyx, ma préférée, je la portais à Kenitra le jour de mes noces, ne me demandez pas la date, vous savez bien que je ne m'en souviens plus. On me l'avait retirée après la cérémonie. Elle va sûrement à mon doigt. Surtout ne pas l'essayer. Sa mère l'aura confiée aux marchandes de mandragore. Je la sens remplie de sortilèges. J'aimerais qu'Olav arrive. Maintenant, il devrait être là. Quelques lignes à la plume, sa belle écriture, les courbes comme on les apprenait au Lycée français. Il me demande pardon. Il veut tout recommencer. Il m'attend à Kenitra. Son père est d'accord. Il ne mettra plus aucun obstacle. Nous vivrons dans le grand domaine planté d'orangers, nous aurons des enfants, oui, plusieurs. Il m'a attendu le soir à Dublin, dans notre appartement. Il a pleuré plusieurs jours de suite, et autant de nuits. Il ne pouvait pas croire que j'étais partie. Il a reniflé mes vêtements, a passé mes chandails, je l'imagine, ils devaient être trop courts, on devait voir dépasser des pans de sa peau dorée. Il a enfoui sa tête dans ma robe bleue, la robe du temps où il entrait dans moi en frappant. On a de nouveau sonné à la porte. Cette fois, c'est Olav. Il était moins une.

« Vous êtes sûre que je vous emmène sur le port ? »

J'ai froissé la lettre entre mes doigts et l'ai glissée dans une poche de mon anorak.

« Absolument sûre. Allons-y vite, je n'aime pas être en retard. »

Olav a pris ma valise sans un mot. Je me suis assise à la place du passager. Il a enclenché la première sans conviction, laissant l'embrayage patiner. On ne se dit rien. Il n'a pas emmené ses enfants, dommage, j'aurais aimé les connaître, voir s'ils ressemblaient à leurs petites photos sur le tableau de bord.

« Est-ce que votre épouse aime les bagues, Olav ? »

Il m'a regardée comme si j'avais lancé une bombe.

« Les bagues ?... C'est-à-dire... À la conserverie, les mains toujours dans la saumure, ce n'est guère recommandé.

– Mais il lui arrive de quitter son travail, et alors là, je suis sûre qu'elle est une jolie femme coquette. »

Un sourire a pointé sur le visage d'Olav.

« Tenez, vous lui offrirez ce bijou. Il vient du Maroc.

– Du Maroc ?

– Oui.

– J'ai entendu parler du Maroc. C'est un royaume, là-bas aussi.

– Un royaume, en effet. »

Olav a pris la bague dans ses doigts. J'ai refermé sa main sur le bijou en lui faisant signe d'accepter. Je suis soulagée à l'idée de n'avoir plus sous les yeux la citrine, l'onyx, les noms de ma jeunesse d'une valeur inestimable. Le taxi roule à vive allure en direction du port. J'ai abaissé la fenêtre, juste ce qu'il faut pour jeter la lettre froissée d'Anas. En fouillant mes poches, j'ai ressorti une photographie qui dormait là. Une maman de vingt tonnes. J'essaie d'imaginer le poids d'amour de ce cœur glacé, fleurs comprises.

34

Cap Nord. Urgent.

Le corps sans vie d'une jeune femme a été retrouvé hier matin sur le site Alpha trois où repose la carcasse entière d'une femelle mammouth. C'est l'équipe chargée de procéder à l'hélitreuillage du monstre qui a découvert le cadavre. La jeune femme était entièrement nue. Elle reposait à même la trompe de l'animal qu'elle serrait entre ses bras. Malgré les rougeurs qui marbraient son visage, des membres de l'Institut océanographique de Bergen ont identifié la biologiste française Clara Marouni, venue dans la région afin de procéder à des mesures du niveau de la mer. On ignore tout des circonstances du drame. Phénomène étrange, le corps de la malheureuse, une fois retiré de la neige, n'a laissé sur le sol aucune trace.

Cet ouvrage a été composé par
Euronumérique
92120 Montrouge

Achevé d'imprimer en avril 2000
sur presse Cameron
dans les ateliers de
Bussière Camedan Imprimeries
à Saint-Amand-Montrond (Cher)
pour le compte des Éditions Stock
27 rue Cassette, 75006 Paris

Imprimé en France

Dépôt légal : avril 2000.

N° d'Édition : 02834. N° d'Impression : 001834/4.

54-5273-5

ISBN 2-234-05273-4